ANGELA KIEMAYER

STARKE STIMME – STARKER AUFTRITT

EIN LEITFADEN ZUM ATEMTYPGERECHTEN SPRECHEN UND SINGEN

Videos unter
www.stimmbaum.com/tutorials

IMPRESSUM:

Lektorat: Musikverlag Doblinger
Notensatz: Angela Kiemayer
Layout: Katharina Pöll
Druck: Plöchl Druck GmbH, Freistadt

Bestellnummer: 09 742
ISMN: 979-0-012-20709-2
ISBN: 978-3-902667-73-1
www.doblinger-musikverlag.at

INHALTSVERZEICHNIS

1. VORWORT

Nachdem meine Stimme nach 15 Jahren Stimmbildung und nach zwei Gesangsstudien nicht mehr so klang, wie ich das wollte, nicht mehr funktionierte, wie sie sollte und mein Tonumfang so eingeschränkt war, dass ich nur mehr Arien für Altstimme singen konnte, obwohl ich als Sopran an der Universität aufgenommen worden war, begab ich mich auf die Suche nach meiner wahren Stimme. Wie konnte es sein, dass Mitstudierende die gleichen Inputs bekamen, bei ihnen alles funktionierte, aber bei mir nicht? Ich übte, war fleißig, hinterfragte, reflektierte, aber das Klangergebnis war nicht so, wie es sein sollte. Ich begann, in mich hinein zu spüren, was für mich richtig ist. Eine Lehrerin machte mich auf das Buch „Sonne, Mond und Stimme" aufmerksam, es geriet aber wieder in Vergessenheit. Mir war schon länger bewusst, dass ich aktiv einatme und somit „Einatemtyp" bin, aber ich wusste nicht, wo der Unterschied in der Stimmbildung liegen sollte. In meinen Jahren als Stimmpädagogin und in den Jahren nach meinen abgeschlossenen Studien, in denen ich mich auf die Suche nach meiner Stimme machte, begann ich, den Unterschied zu spüren. Ich bemerkte, dass ich meist das Gegenteil von dem machen musste, was mir von Lehrerinnen und Lehrern gesagt wurde. Statt zum Beispiel bei längeren Phrasen in die Knie zu gehen, begann ich mich zu strecken. Selbst beim Yoga fing ich an, einzuatmen, wenn die Trainerin verlangte auszuatmen, und es fühlte sich gut an. Ich lernte, meinen Gefühlen zu vertrauen und dies mit dem Wissen meiner Studien zu kombinieren. Es zeigte sich, dass meine Gesangsschülerinnen und -schüler immer öfter in kurzer Zeit zu tollen Ergebnissen kamen, da ich gezielt die Inputs gab, die ihrem Atemtyp entsprachen. Ich zweifelte oft, stellte das Wissen der Universitätsprofessoren über mein Empfinden, aber irgendwann siegte mein Empfinden, vor allem, als ich jene Operettenarien bei Konzerten sang, die während meines Studiums nicht einmal anzudenken gewesen waren, da mit dem neuen Gefühl jede Lage, jede Höhe, jede Koloratur, jeder Sprung möglich wurde, ich aufblühte und mich wohlfühlte. Deswegen möchte ich mein Wissen weitergeben, damit sich Menschen mit ihrer Stimme wohlfühlen, ihren eigenen Stimmklang finden.

Jede Sängerin, jeder Sänger, jede Sprecherin, jeder Sprecher muss sich immer bewusst sein, dass der eigene Körper ihr bzw. sein Instrument ist. Je bewusster sie mit ihrem, er mit seinem Körper umgeht, sie bzw. er ihn erlebt, ihn spürt, desto stimmiger wird der Stimmklang sein.

Zu allererst zeige ich in diesem Buch allgemeine Aktivierungsübungen, um zu lernen, den Körper zu spüren, um die Resonanzräume zum Klingen zu bringen. Diese sind unabhängig vom jeweiligen Atemtyp, doch werden Sie bald bemerken, dass sich Lieblingsübungen herauskristallisieren, die für Sie besser und zielführender erscheinen. Ich habe mir zum Prinzip gemacht, mich vor einem Auftritt nicht mehr zwangsläufig einsingen zu müssen, da meine Körperhaltung und meine Stimmverwendung von der ersten wachen Sekunde bis zum ersten Ton meinem Atemtyp entsprechen, die Muskeln stets aufgewärmt und trainiert, also bereit sind, jederzeit in allen mir verfügbaren Lagen und Stilen zu singen.

Der Ausatemtyp wird sich eher bei den Zwerchfellaktivierungen zu Hause fühlen, seinem täglich Brot, der Einatemtyp wird seine Nasen- und Rachenräume öffnen und den Brustkorb durchstrecken, um für den Tag gerüstet zu sein, Näheres dazu aber später.

Wie man den Atemtyp berechnen kann und wovon der Atemtyp abhängig ist, wird in diversen Büchern beschrieben, die sich mit diesem Thema beschäftigen. Hier verweise ich auf Bücher wie „Sonne, Mond und Stimme" von Romeo Alavi Kia und Renate Schulze-Schindler und „Grundlagen der Terlusollogie®" von Dr. Christian Hagena.

Viele Menschen kommen zu mir, wenn ihre Sing- oder Sprechstimme nicht mehr so funktioniert, wie sie das sollte. Manchen fehlt es am Stimmumfang. Menschen, die viel reden müssen, wie z. B. Lehrkräfte, die oft sechs Stunden durchgehend ohne Pause sprechen, klagen, dass sie ihre Stimme verlieren oder ihr Publikum ihnen schlechtes Feedback über die Sprechstimme gibt, vor allem nach längerem durchgehendem Sprechen. Auch mir ging es zu Beginn so. Ich hatte zwar ein Gesangsstudium abgeschlossen, verlor aber bei langem Sprechen meine Stimme, sie klang müde und undeutlich und ich bekam Halsweh. Auch mein Körper fühlte sich nach dem Singen oder Sprechen richtig ausgepowert an.

Vielleicht wundern Sie sich, warum ich ein kombiniertes Buch für Sprecherinnen und Sprecher und Sängerinnen und Sänger herausgebe. Meiner Meinung nach ist sprechen nicht viel anders als singen, man braucht nur beim Singen von jeder Richtung noch etwas mehr. Daher erscheint es mir logisch, dieses Wissen zu kombinieren und ein kombiniertes Buch zu schreiben. Jede Sängerin und jeder Sänger muss sprechen lernen und kann dort schon sehr viel über seine Stimme erfahren und für sie üben. Jeder Sprecherin und jedem Sprecher würde ich empfehlen, sich die drei Ebenen Kraft – Sitz – Raum aus der Sängerrichtung anzueignen, da man übers Singen leichter die Resonanzräume erreicht, die die Tragfähigkeit, das Durchhaltevermögen und die Durchschlagskraft der Stimme ausmachen, egal ob beim Singen oder beim Sprechen. Außerdem wird der Stimmklang freier, natürlicher, wohliger und abwechslungsreicher.

WAS ICH AN DER UNIVERSITÄT ÜBER STIMME GELERNT HABE

Haltung, Atmung und Stimme hängen zusammen, ergänzen sich, dies lernte ich vom ersten Moment an.

Folgende Grundsätze wurden mir beigebracht, egal ob es um Bühnensprechen oder Singen ging:

- Stell dich hüftbreit, breitbeinig hin.
- Drück die Knie nie durch, lass sie immer abgewinkelt, immer locker nach unten schwingend.
- Kippe das Becken nach vor (d.h. im Beckenbereich soll es rund werden).
- Hab einen guten Fersenstand.
- Atme mit dem Bauch so intensiv, dass du den Atem immer im Nierenbereich spürst.
- Im Brustkorb darf man es nicht sehen, dass du Atem holst.
- Dehne die Wirbelsäule in die Länge, indem du dir einen Zug zwischen Steißbein und Kopf vorstellst, anders ausgedrückt: Ziehe den Kopf an der Hinterseite/an der Wirbelsäule nach oben, als würdest du mit einem Pinsel die Decke bemalen.

- Der Kopf muss sich als Verlängerung zur Wirbelsäule noch weiter nach oben strecken, vorne aber nach unten neigen, sprich den Blick und den Kiefer senken.
- Der Stimmsitz befindet sich vor und hinter den Schneidezähnen.
- Die Konsonanten aktivieren das Zwerchfell. Hüpfe von einem Konsonanten zum nächsten, konzentriere dich auf die Konsonanten und das Abschwingen ebenda.
- Die Räume der Stimme sind im Mund und im Nacken, hier muss man stets besonders weiten, z. B. durch gähnen.
- Der Kiefer soll immer so weit wie möglich geöffnet werden, lass ihn fallen und so locker, als würde dir Speichel aus dem Mund laufen.
- Schick die Energie der Töne in den Boden, als würdest du jede Silbe in den Boden trippeln.

GRUNDSÄTZE, DIE MAN MIR NAHEGELEGT HAT

- Singe nie mit hohen Schuhen.
- Singe nie mit Hut, das „verstopft" die Resonanzräume.
- Schultern und Brustkorb dürfen sich beim Atmen nicht bewegen, nur Bauch und Flanken.
- Atme bewusst aus, nie bewusst ein.

Das sind kurz zusammengefasst die Inputs, die ich über all die Jahre hinweg am Konservatorium, an der Universität und bei diversen Meisterkursen und Fortbildungen im In- und Ausland hörte. Die Atemdosierung wurde geübt. Viele Bilder und unterschiedliche Formulierungen wurden verwendet. Eine Lehrerin verlangte Haltung und Bauchatmung sehr extrem, machte mich aber immer aufmerksam, dass ich aussehe, als wäre ich schwanger, wenn ich so dastehe, wie sie es verlangte ... Warum hinterfragte man dann nicht, ob es für mich passte, wenn es doch so unnatürlich aussah? Ich traute mich nicht, das von so vielen „Experten" Gesagte in Frage zu stellen.

Leider brachten die Inputs nicht das gewünschte Ergebnis. Ich kam als Sopran an die Uni, schloss mein zweites Studium als Alt ab. Meine Stimme hatte keine Durchschlagskraft mehr und meine Höhe hatte ich leider verloren. Ich überlegte viel, verglich viel, hörte mir alte Aufnahmen vom ersten Semester an. Damals war die Stimme zugegeben noch nicht so geformt und etwas uneinheitlich, aber frei. Nach dem Studium war sie unspannend, farblos, kraftlos und im Mundraum eingesperrt. Manchen Freunden und Freundinnen erging es ähnlich. Eine Freundin bekam nach zwei Jahren Gesangsstudium an der Universität und konsequenter Durchführung des Gelernten eine Diplophonie (ärztlich festgestellte Doppeltönigkeit des Stimmklangs durch falsche Benutzung der Stimmbänder). Da konnte doch etwas nicht stimmen? Da ich nicht der Mensch bin, der aufgibt, forschte ich, übte ich. Ich unterrichtete viel und merkte, was bei mir und auch bei anderen hilft oder was eher schadet. Mein Ziel war geboren: Jedem Menschen in der Stimmbildung Hilfestellungen zu geben, die die individuelle Stimme fördern und die den Stimmumfang erweitern oder, wenn der Stimmumfang bereits fertig entwickelt ist, erhalten. Basis sollte stets eine freie Stimme und eine gesunde, stimmige Körperhaltung sein, unabhängig von Stil und Stilrichtung.

So viel zu mir und zu den Beweggründen, warum ich dieses Buch schreibe. Ich werde mich zuerst dem Sprechen widmen und dann zu den Grundlagen des Singens gehen. Im Prinzip sind die Voraussetzungen die gleichen, man braucht fürs Singen nur noch mehr von allem, mehr Kraft, Sitz und Resonanzräume.

In meiner Stimmbildung lege ich besonderen Wert darauf, persönlich zu erfahren, wo die Stimme und Resonanzen zu spüren sind. Richtige Gefühle sollen abgespeichert und reproduziert werden. Sinnloses Töneproduzieren und „Übekilometer" sollen auf jeden Fall vermieden werden, da die Gefahr besteht, falsche Bewegungsabläufe im Körper zu speichern. Singen soll so selbstverständlich, so natürlich werden wie gehen. Ein Bewegungsablauf, der in jeder Lebenslage funktioniert, unabhängig vom „richtigen" Klang (welcher Klang ist schon richtig?), sondern abhängig vom richtigen Gefühl, von der passenden Emotion, von der richtigen Bewegung.

2. WAS SÄNGERINNEN UND SÄNGER UND SPRECHERINNEN UND SPRECHER WISSEN SOLLTEN

Dass ich einige Dinge anders machen muss, als mir an der Universität gelehrt worden ist, das war mir klar. Auch bei Sportarten fiel mir auf, dass ich oft das Gegenteil des Gesagten machte, oft anders atmete, als die Kursleiterin oder der Kursleiter es forderte. Beim Joggen bekam ich Seitenstechen, wenn ich das machte, was mir die Sportlehrer gesagt hatten, drei Schritte aus-, einen einatmen. Auch beim Schwimmen führte bei mir die gelehrte Technik, die Luft die ganze Zeit auszupusten, wenn man unter Wasser ist, das letzte bisschen Luft, das noch im Brustkorb ist, auch noch wegzupusten, damit man automatisch Luft bekommt, wenn man kurz an der Oberfläche ist, zu blauem Gesicht, sogar zu einem Kreislaufkollaps. Also machte ich das Gegenteil:

Ich begann mehr einzuatmen, begann mich aufzurichten, meinen Brustkorb zu weiten, mir zu erlauben, was mir mein Körper sagte. Die Erklärung, warum ich oft das Gegenteil des Gängigen machte, fand ich in Büchern über verschiedene Atemtypen.

2.1. DIE ZWEI ATEMTYPEN

2.1.1. DER AUSATEMBETONTE TYP

Der ausatembetonte Typ beginnt von der Ruhestellung der Atmung, atmet aktiv aus, atmet am besten die gesamte Luft weg, die er in sich hat und setzt am Ende durch nochmaliges Auspusten, als würde er eine Kerze ausblasen, einen Impuls. Durch diesen Vorgang wird die reflektorische Atmung angeregt. Die Einatmung beginnt automatisch, das System holt sich so viel Luft, wie es benötigt.

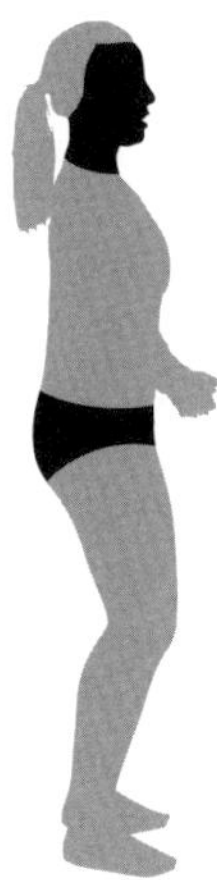

Dieser Atemtyp muss in der Stimmbildung und Sprechtechnik trainieren, dass er sehr wohl seinen Atem hergibt, jedoch bis zum Ende der Phrase Luft hat und am Ende auf der letzten Silbe noch wegspringen kann, um die reflektorische Atmung anzuregen.

Jeder Typ hat seine Verengungs- und Erweiterungszonen, die wir beim Stimmtraining zu nützen wissen. Der ausatembetonte Typ hat seine Erweiterungszone, im Bild schwarz gekennzeichnet, beim Becken, beim Hals, im Nacken und im Gesicht. Diese Bereiche sollten während der Phonation weiter erweitert bzw. beim Kiefer in eine lockere Öffnung gebracht werden. Alles andere ist Verengungszone, die während der Phonation aktiv verengt werden darf.

2.1.2. DER EINATEMBETONTE TYP

Der einatembetonte Typ beginnt von der Ruhestellung und atmet ein. Er hebt dadurch seinen Brustkorb, macht sozusagen Platz für die Luft, die er benötigt.

Er atmet lang ein, bleibt eventuell in der eingeatmeten Position, bevor er kurz ausatmet bzw. die Luft wegströmen lässt und in die Ruhestellung zurückkehrt.

Dieser Atemtyp muss in der Stimmbildung und Sprechtechnik trainieren, dass er, obwohl er während der Phonation natürlich Luft hergibt, die Einatemstellung, die Aufrichtung des Brustkorbs beibehält. Er muss dem Körper quasi simulieren, dass er einatmet, obwohl er ausatmet.

Dieser Typ hat fast am gesamten Körper Erweiterungszonen. Das bedeutet, dass er diese Zonen während der Phonation aktiv nach außen dehnt oder sich vorstellt, sie zu weiten. Die Verengungszonen Gesicht, Hals, Nacken und Becken werden durch aktives Verengen und Ziehen nach innen genützt, um Kraft für die Stimme zu bekommen.

Wenn Sie die Bilder vergleichen, erklärt sich hier bereits, dass z. B. der Ausatemtyp bei der Phonation den Mund ganz weit öffnen muss, um einen optimalen Klang zu erhalten, der Einatemtyp aber seinen Hinterkopf öffnen muss, was er durch Kopfheben und eine Kieferbewegung nach oben erreicht.

Als ich das vor ein paar Jahren in Büchern zu den Atemtypen las, dass sogar das Zwerchfell unterschiedlich angesteuert wird, ging mir ein Licht auf. Diese Information gab mir die fehlende Erklärung zu all dem, was ich bereits durch die verschiedenen Übungen in der Stimmbildung und Sprechtechnik praktisch erfahren hatte. Es ist doch immer gut, dass man zuerst spürt, dass etwas absolut richtig ist, und dann die theoretische Erklärung dazu bekommt.

2.1.3. EXKURS: DIE „STÜTZE"

Das Zwerchfell wird oft auch als „Stütze" bezeichnet. Prinzipiell soll das Zwerchfell tief gehalten werden, sprich in der Einatemstellung.

Warum?

Weil durch das Tiefstellen des Zwerchfells durch ein gefinkeltes Zusammenspiel vieler Muskeln gleichzeitig der Kehlkopf tiefgestellt wird. Dadurch wird der Schildknorpel nach vorne gekippt (wir können es testen, wenn wir beim Einatmen die Hand auf unseren Kehlkopf/Adamsapfel legen und deutlich die Bewegung nach unten spüren), was dazu führt, dass die Stimmbänder in die Länge gezogen werden. In dieser Position werden anschließend durch verschiedenste Muskelaktivitäten im Kehlkopf bei der Phonation die Stimmbänder parallel zueinander gebracht. Daher muss bei der Stimmgebung darauf geachtet werden, dass die Einatemstellung erhalten bleibt, sonst würden die Stimmbänder bei der Phonation nicht korrekt schließen und zu viel Luft entweichen, sprich an den Stimmbändern vorbeiströmen.

Aber schon hier gibt es einen riesigen Unterschied, wie dies funktioniert. Das Zwerchfell wird nämlich je nach Atemtyp unterschiedlich angesteuert. Der Einatemtyp steuert die vorderen Muskelgruppen des Zwerchfells, **Pars sternalis** (muskulöser Anteil des Zwerchfells beim Brustbein, sternum = lateinisch für Brust) und **Pars costalis** (muskulöser Anteil des Zwerchfells bei den Rippen, costae = lateinisch für Rippe), an.

Dieser Atemtyp muss sich darauf konzentrieren, dass er im Brustbeinbereich offen bleibt. Der Ausatemtyp steuert an der Rückseite des Körpers den Lendenteil des Zwerchfells an, den **Pars lumbalis** (muskulöser Anteil des Zwerchfells im Lendenteil, lumbales = lateinisch für Lende). Viel Öffnen und Dehnen im Lendenwirbelbereich führt beim Ausatemtyp zur optimalen Stimmproduktion.

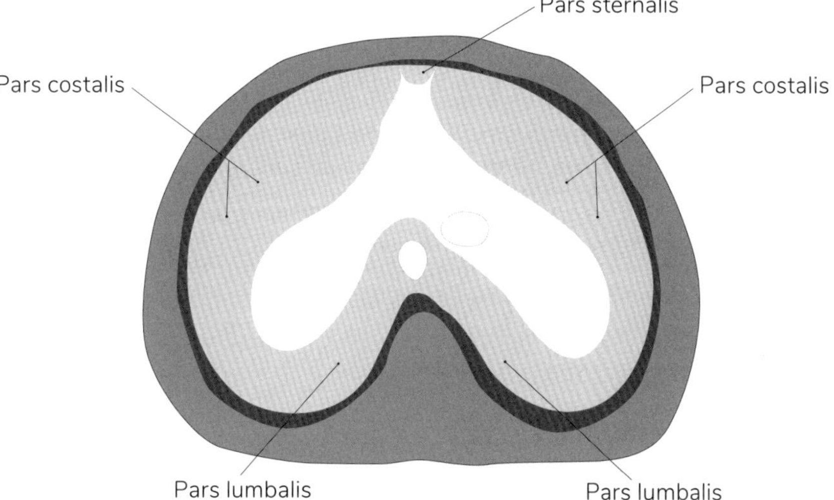

➤ EINATEMBETONTER TYP:

„Über das Heben des Brustbeins bzw. das Weiten der Rippen werden die entsprechenden Zwerchfellsegmente, also **Pars sternalis** und die beiden **Pars costalis**, für die Ausgleichsbewegung des Zwerchfells herangezogen. Das Zwerchfell bleibt somit länger in einer Art ‚Schwebezustand', seine Kuppen heben sich langsamer."[1]

[1] Alavi Kia, Romeo und Schulze-Schindler, Renate: Sonne, Mond und Stimme, S. 56.

➤ AUSATEMBETONTER TYP:

„Die Ausatmer aktivieren die sogenannten Zwerchfellstrippen. Das sind jene kleinen Muskelbündel, die den jeweiligen Pars lumbalis mit den Lendenwirbeln verbinden. Über die vertikale Streckung der Wirbelsäule wird nun ein Zug über Crus mediale und Crus laterale auf den hinteren Teil des Zwerchfells, dem ***Pars lumbalis*** *ausgeübt, welcher der Aufwärtsbewegung der Zwerchfellkuppen etwas entgegensetzt. Diese heben sich nicht so schnell, das Zwerchfell bleibt länger in einer Art ‚Schwebezustand'."*[2]

[2] ebd., S. 57.

2.2. AUFWÄRMEN UND EINSINGEN

Jede Sängerin und jeder Sänger, jede Sprecherin und jeder Sprecher sollte, bevor sie bzw. er lange spricht, ihre bzw. seine Muskeln langsam aktivieren. Sie kennen das sicher aus dem Spitzensport. Welcher Sportler bringt sofort die volle Leistung, ohne aufgewärmt zu sein?

Sprechen bzw. Singen ist für Ihren Körper und Ihre Muskeln Hochleistungssport. Deswegen sollte man prinzipiell beim Aufwärmen der Stimme folgende Reihenfolge beachten:

1. Körperaktivierung
2. Aktivierung des Zwerchfells und der Gesichtsmuskeln inkl. Rachen- und Mundraum
3. Aktivierung der Randfunktion der Stimmbänder
4. Verwendung der Vollschwingung

Je sanfter die Stimmbänder zum Stimmbandschluss gebracht werden, desto besser. An dieser Stelle zeige ich in meinen Seminaren, wie es aussieht, wenn Stimmbänder „singen".

Eindrücke davon können Sie zum Beispiel bei dem Video „Cords hear us and have mercy"[3] gewinnen.

3 

2.2.1. EXKURS: STIMMHYGIENE / RÄUSPERN / RANDSCHWINGUNG / VOLLSCHWINGUNG

Außerdem spreche ich an dieser Stelle an, wie schlecht es für Ihre Stimmbänder ist, sich zu räuspern und zu oft zu husten. Sie verletzen sie durch brutales Aneinanderschlagen und Aneinanderreiben. Nicht nur das! Muskelaktivität ist suggestiv. Wenn Sie einem schlechten Redner zuhören und nach seiner Rede das Gefühl haben, Sie hätten Halsweh, obwohl Sie keine Silbe gesagt haben, dann hat wohl der Redner eine falsche Stimmtechnik und diese hat sich auf Sie übertragen – das ist das Phänomen der Suggestivität.

Wenn Sie sich räuspern, räuspern die Stimmbänder Ihres Nachbarn mit. Im Gesangsstudium verlangten die Lehrer bzw. Lehrerinnen € 0,50 Kaffeegeld. Da gewöhnt man sich das Räuspern schnell ab.

Aber welche Möglichkeiten gibt es als Alternative zum Räuspern?

Am besten ist es, wenn Sie von der kraftvollen Stimme weggehen, sprich von der Vollschwingung. Je mehr Randschwingung der Stimmbänder/Stimmmuskeln man verwendet, desto mehr werden die Stimmbänder fein massiert und überschüssiger Schleim wird durch diese sanften Schwingungen abtransportiert. Unsere Stimmbänder können nämlich sowohl in ihrer vollen Breite als auch nur an ihren feinen Innenrändern schwingen. Das Schwingen in der vollen Breite nennt man Vollschwingung, das Schwingen der feinen Innenränder nennt man Randschwingung. Aus den unterschiedlichen Schwingungsmöglichkeiten resultieren auch verschieden strukturierte Klänge.

Sprechen Sie wie mit einem Kleinkind oder mit einer lieben Katze ... lieblich, leise, hoch (aber auf keinen Fall zu luftig) oder summen Sie den Schleim einfach weg. Sie verwenden hier vorwiegend die Randschwingung, die dem Stimmsystem die Chance gibt, den Schleim durch gesundes Bewegen der Stimmmuskeln abzutransportieren.

Wie merkt man eigentlich, ob die Stimmbänder gesund sind, überbeansprucht sind oder eine Kehlkopfentzündung vorliegt?

Summen Sie. Funktioniert ein Glissando (gleitendes Schleifen der Stimme von hoch nach tief oder tief nach hoch) durch mehrere Oktaven, wenn Sie gesund sind? Wenn es funktioniert, können Sie den Test bei Krankheit oder Überbeanspruchung wiederholen: Summen Sie wie sonst auch: Sind Ihre Stimmbänder überbeansprucht oder geschwollen, wird in der Mitte des Tonumfangs ein Loch entstehen und das Summen weiter unten durch einen kleinen Glottisschlag wieder einsetzen.

Was ist ein **Glottisschlag**? Sagen Sie „a" mit Druck vom Hals: Die Stimmbänder werden sofort zueinander gebracht, sie schlagen aufeinander. Die Stimme beginnt mit der Vollschwingung, ohne dass der Stimmbandschluss von den Rändern des Muskels sanft eingeleitet worden ist. Dies sollte man prinzipiell vermeiden, beim Singen genauso wie beim Sprechen.

Womit wir wieder beim sanften Stimmbandschluss wären.

Diesen erhält man, wenn Kraftaufwand, Stimmsitz und Öffnung der Resonanzräume zusammenstimmen, wenn nicht zu viel und nicht zu wenig Luft an den Stimmbändern vorbeischießt und wenn man Klinger nützt, um einen sanften Stimmbandschluss hervorzubringen. Beim „m, n, ng", stimmhaften „s" und stimmhaften „w" passiert dies automatisch. Probieren Sie es aus. Sagen Sie „sagen" mit stimmlosem „s". Die Gefahr, das „a" zu hart zu sagen, da vorher noch kein Klang da ist und Luft an den Stimmbändern durch das „s" vorbeischießt, ist viel größer, als wenn man das stimmhafte „s" verwendet. Hier ist gar keine Chance des harten Stimmbandschlusses. Dies erklärt auch gewisse Sprechtechnikregeln, die noch immer niedergeschrieben und vor allem aus stimmhygienischer Sicht sinnvoll sind, obwohl in der heutigen Welt der Mikrofonverstärkung vieles so nicht mehr gelehrt und angewandt wird. Meine Kommentare zur Sinnhaftigkeit mancher Sprechtechnikregeln bzw. auch zum Weglassen von diesen finden Sie im Kapitel 6 dieses Buches.

2.2.2. AUFWÄRMÜBUGEN FÜR BEIDE ATEMTYPEN

TUTORIAL 1
KÖRPERAKTIVIERUNG

» abrubbeln, abschrubben
» durchkneten
» abklopfen
» massieren
» stampfen

» Kirschen pflücken, fallen lassen, Körper kopfüber aushängen, Wirbel für Wirbel aufrollen
(Achtung: Bei dieser Übung langsam aufrollen, da es bei kreislaufschwachen Menschen zu Schwindel kommen kann.)

» Zähne putzen mit der Zunge

» Speisekonfetti vom Gaumen lösen

» Zunge rausstrecken

» Zitrone – Löwe:
Zitrone
(alles zusammenziehen, Faust machen, Po zusammenzwicken),
Löwe
(alles aufreißen wie ein brüllender Löwe: Mund, Augen, Hände ...)

TUTORIAL 2
ZWERCHFELLAKTIVIERUNG

» lachen

» hecheln ohne Ton hoch und tief auf „hi" und „ho"
„hi" Brustkorb hebt und senkt sich, „ho" Bauchdecke hebt und senkt sich.
Beim tonlosen „hi" und „ho" wird durch Veränderung der Lippenstellung automatisch ein anderer Atembereich angesteuert.
Hecheln ist ein absolut gesundes Training für die Flexibilität Ihres Atems. Außerdem bekommen Sie eine Massage für Organe und für den Zwerchfellmuskel noch dazu.

Sprechen Sie Konsonanten in verschiedenen Kombination und Rhythmen:

» „ss schsch ss schsch ssssssssssssssssssssssssssssssssssssss"

» „f s f s fffffffffffffffffffffffffffffffffff"

» „ptk ptk k"

» „kk" (Hände Knie) „pp" (Hände klatschen) „ss" (schnipsen) „ft, ft" (mit Händen wegscheuchen)

Machen Sie diese Übung ein paar Mal in einem gemütlichen Tempo. Wenn Sie die Impulse im Körper gut spüren, steigern Sie allmählich das Tempo. Werden Sie immer schneller, so schnell, bis die Übung nicht mehr funktioniert.

TUTORIAL 3
ZUNGENAKTIVIERUNG OHNE TON

» Zungen-R

» „tr"

RANDSCHWINGUNGEN

» „ssss“ (stimmhaft, Fliege), „www“ (stimmhaft)
» sanft seufzen
» „n“, „ng“, „m“, seufzen, verschiedene Tonhöhen und Glissandi
» „hm“ mit vibrierender Nase (Motorengeräusch)
» Lippenflattern „brrr“

TUTORIAL 4
VOLLSCHWINGUNG

ÜBUNGEN FÜR DIE ZUNGE:

» „mananga, menenge, miningi, monongo, munungu“
» „pataka, peteke, pitiki, potoko, putuku“
» „tr, tr, tr“

ÜBUNGEN FÜR DAS ZUNGEN-R

» „Bödötchen“ immer schneller werden bis das „r“ zum Brötchen wird
» „detlängen“ – „drängen“ ebenso

TUTORIAL 5
ÜBUNGEN FÜR DIE RESONANZRÄUME
NASENNEBENHÖHLEN UND STIRNHÖHLEN:

» Sprechen Sie durch die Nase. Es soll ein nasaler, schriller Klang entstehen. Versuchen Sie, den Kasperl oder eine Hexe zu imitieren.
» Halten Sie Ihre Nase zu. Blähen Sie Wangen und Rachenraum auf und sagen Sie dann ein explodierendes „b“.
(Achtung: Halten Sie Ihre Nase nur ganz unten zu. Sie sollte sich bei jedem „b“ und „d“ aufblähen können wie beim Druckausgleich.)
Diese Übung ist auch in Kombination mit Vokalen möglich „ba, be, bi, bo, bu“.
» Versuchen Sie, mit den Vokalen „ü – i – ü“ Obertöne zu produzieren.

Achten Sie bitte darauf, dass Sie alle Übungen, vor allem die Vollschwingungsübungen, schon in richtiger Haltung machen, die, wie schon beim Zwerchfell erklärt, vom Atemtyp abhängig ist.

2.2.3. EXKURS: STIMMSITZ UND RESONANZRÄUME

DER STIMMSITZ

Um der Stimme einen Halt zu geben, benötigen wir nicht nur die „Stütze", sprich das Beibehalten der Einatemstellung, sondern auch einen Zug im Gesicht, dieser nennt sich **Stimmsitz**. Je nach Stil und Singweise wird dieser Zug mehr oder weniger benötigt und verwendet, bei Sprechern leider oft vergessen. Auch diese brauchen den Stimmsitz, um eine kräftige, gesunde und durchschlagfähige Stimme zu haben. Erinnern Sie sich an die Tonfilme der 30er bis 60er Jahre, in denen die Schauspielerinnen auch sangen? Sie sprachen viel höher, viel kopfiger, sonst wäre der Übergang zum Singen in der Lage, in der damals Singen üblich war, nicht so einfach möglich gewesen.

DIE RESONANZRÄUME

Was sind **Resonanzräume**? Bei der Kopfstimme sind das alle Hohlräume im Kopf. Ja, ein Lächeln geht über die Lippen der Seminarteilnehmerinnen und Seminarteilnehmer, also: Nasenhöhlen, Nasennebenhöhlen (Stirnhöhlen, Keilbeinhöhlen, Siebbeinhöhlen, Kieferhöhlen), Augenhöhlen und der gesamte Mund- und Rachenraum. Bei der Bruststimme ist der Resonanzkörper natürlich der Brustkorb.

Deswegen auch die Namen Kopf- und Bruststimme ...

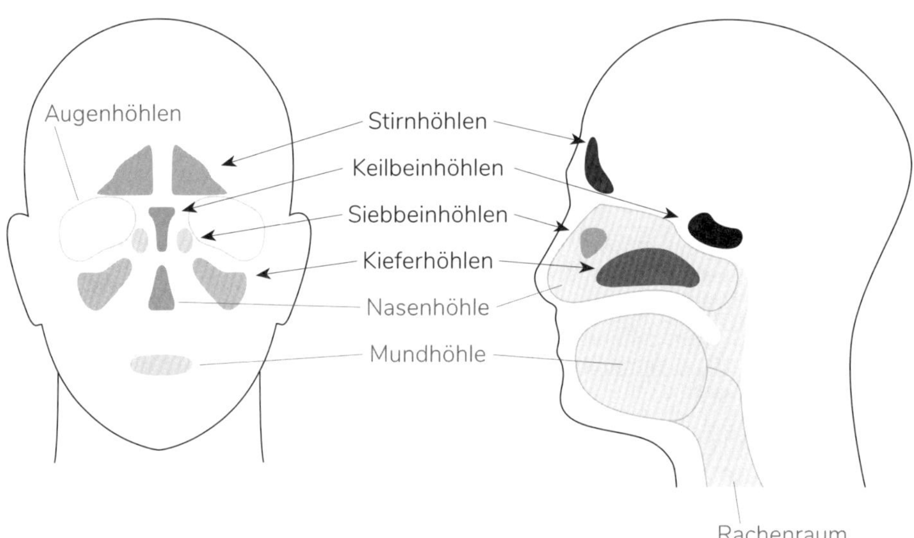

3. ATEMTYPGERECHTE SPRECHTECHNIK

Viele meiner Seminarteilnehmer berichten, dass sie schon in vielen Sprechtechnikkursen gewesen seien, aber in Bezug auf Durchhaltevermögen, Durchschlagskraft und Lautstärke der Stimme meist kein für Sie passendes und stimmschonendes Rezept gefunden haben. Ausgehend von meinen Empfindungen, meinem Wissen und meiner jahrelangen Praxis in der Stimmanwendung und durch die Kombination mit der jahrelangen Erfahrung in der Stimmvermittlung habe ich herausgefunden, was es hier braucht. Ein Universitätsprofessor sagte einmal in einem Seminar:

*„Die Stimme muss in der Nase sein,
aber nicht die Nase in der Stimme“.*[4]

[4]Zitat Herwig Reiter in der Vorlesung Jugendstimmbildung

Ich wusste damals nichts damit anzufangen, kein Wunder, ich wurde ja auch quasi als Ausatemtyp ausgebildet, der mit seiner Stimme nicht in der Nase anfängt, sondern sie durch Konsonantenimpulse nach oben in die Resonanzräume, auch in die Nase, schießt.

Ja, mittlerweile kann ich stundenlang sprechen und singen, ohne heiser zu werden bzw. mein Stimmorgan zu viel zu beanspruchen, manchmal zum Leidwesen der Anwesenden ☺.

Der große, eklatante Unterschied in der Stimmanwendung liegt darin, wo die Stimme der beiden Atemtypen beginnt, wo man als Sprecherin/Sängerin bzw. Sprecher/Sänger ganz aktiv sein muss.

In meinen Seminaren wird an dieser Stelle das erste Mal gefühlt, wo unsere Stimme überall Resonanz findet.

Wir sprechen „you“ in verschiedenen Tonhöhen und spüren, wo Resonanzräume vibrieren, wo sie zu schwingen beginnen. Auch mit Summen versuchen wir es und berichten das Erlebte, das Gespürte.

Ziel im Sprech- und Stimmtraining ist es stets, eine Mischstimme zu haben. Kopf- und Bruststimme sollen mitschwingen, die Anteile, wie viel von jedem Bereich, sind, je nachdem wie hoch man singt oder spricht, unterschiedlich. Außerdem ist die Mischung abhängig vom Singstil. Beim „belten“, beim Pop- und Musical-Gesang, ist der Anteil der Bruststimme viel höher als beim klassischen Singen. In diesem Stil achtet man sehr darauf, das Kopfregister so weit wie möglich nach unten mitzunehmen und wenig Bruststimme zu verwenden, da sonst bei zu viel Bruststimmenanteil Töne in hoher Lage nicht mehr oder nur in der isolierten Kopfstimme möglich sind.

Ideal wäre es, wenn beim Singen und Sprechen so viel wie möglich vom eigenen Körper mitschwingt, da ja unser Körper unser Instrument, unser Resonanzraum ist. Je mehr wir in unserem Körper resonieren, desto besser kann auch der Raum, der uns umgibt, mitschwingen und desto lauter wird unsere Stimme ertönen. Ich hielt damals die Lehrerin in der Funktionellen Entspannung für verrückt, als sie sagte, der kleine Zeh solle/könne mittönen. Mittlerweile fühle ich es selbst brenzeln, resonieren, aber erst seit ich meinem Atemtyp gerecht spreche und singe.

Zurück zum Einatemtyp:

DIE STIMME DES EINATEMTYPS BEGINNT IN DEN RESONANZRÄUMEN IM KOPF.

Die Resonanzräume im Kopf müssen alle aktiv geöffnet sein. Will der Einatemtyp seine Stimme in eine bestimmte Richtung fokussieren, kann er während der Phonation noch Resonanzräume dazu- oder weggeben. Ziehe ich meine Stimme z. B. in die Keilbeinhöhlen, wird sie breiter, gebe ich ihr Fokus in der Stirn, dringt sie mehr nach vorne, gebe ich ihr Zug in den Hinterkopf, wird die Stimme hinter mir lauter.

Dies ist praktisch, wenn man z. B. mit dem Rücken zum Publikum stehen muss oder als Lehrkraft etwas an die Tafel schreibt. Die Zuhörerinnen und Zuhörer werden, obwohl Sie ihnen den Rücken zuwenden, aufmerksam bleiben, da die Stimme Energie nach hinten abgibt. Das klingt schräg, es funktioniert aber. Auch meine Seminarteilnehmerinnen und Seminarteilnehmer bekommen häufig eine Vorführung und dürfen raten, wo ich den Fokus meiner Stimme hinlege. Die Trefferquote liegt meist sehr hoch.

Um die Resonanzräume optimal zu erreichen, muss natürlich die Haltung typgerecht, muss die richtige Dosis von Kraftaufwand vorhanden und müssen die Resonanzräume prinzipiell geübt und offen sein.

DIE STIMME DES AUSATMENTYPS BEGINNT IM BAUCH.

Der Ausatemtyp forciert die Konsonanten und schießt dadurch automatisch die Vokale in ihre Resonanzräume im Kopf. Diese werden in der kurzen Einatemphase vorbereitet, z. B. durch Staunen und Gähnen.

Der Ausatemtyp verwendet die Resonanzräume im Mund und im Rachen mehr, der Einatemtyp alle Resonanzräume darüber, sprich Nasen-, Nasenneben- und Augenhöhlen.

Ich beobachte natürlich meine Seminarteilnehmerinnen und Seminarteilnehmer von der ersten Sekunde an. Wie ist ihre Haltung und wo klingt ihre Stimme?

Oft sind Stimmen von einatembetonten Menschen in der Nase, sehr nasal, durch „Haltungsvorgaben der Gesellschaft“ können sie aber meist nicht strahlen. Dies liegt oft daran, dass wir unserem Körper nicht die Einatmerhaltung gönnen. Wer sagt schon: Brust raus, Schulterblätter nach hinten, Knie durchdrücken usw.

Eine untrainierte Ausatmerstimme kann man meist daran erkennen, dass sie entweder sehr monoton, sehr luftig oder unverständlich ist, „in den Bart hinein genuschelt“ wird.

Konsonantenreichtum und Zwerchfellimpulse werden zu wenig genutzt. Gleichzeitig hält der Kiefer fest, weil zu wenig „Halt“ und Unterstützung vom Körper da ist.

JETZT IST ES AN DER ZEIT, EINEN ERSTEN TEST ZU MACHEN, WAS SIE SIND!

Haben Sie schon einmal überlegt, ob Sie aktiv einatmen oder ob Sie die Luft lieber loswerden?

Haben Sie schon einmal darüber nachgedacht, ob Sie viel einatmen, bevor sie sprechen, oder ob Sie aus dem Nullzustand noch immer sprechen können, ohne dass sich der Brustkorb eng anfühlt und Sie zu wenig Luft haben?

Was tun Sie vor der Kraftanstrengung, wenn Sie schwer heben müssen oder ein Gurkenglas öffnen? Plustern Sie sich auf wie eine Henne oder werden Sie lieber kurz nochmal aktiv Luft los bevor Sie einatmen und die Anstrengung beginnen?

Natürlich können Sie nachschauen, nachlesen, welcher Atemtyp Sie sind. Auf der im QR-Code angegebenen Seite können Sie Ihren Atemtyp berechnen lassen: [5]

Ich lade Sie aber ein, sich mit mir auf die spannende Reise mit ein paar Tests, Nachspüren und Nachfühlen zu begeben, und dann selbst zu entscheiden, welcher Atemtyp Ihnen sympathischer ist.

Mittlerweile mache ich es in meinen Kursen so: Ich berichte zuerst, was jeder Typ für eine gesunde Stimmproduktion benötigt, und lasse danach die Teilnehmer probieren.

Sie spüren meist schon in der Zusammenarbeit mit mir, welcher Atemtyp sie sind, da ich eindeutig das Vorbild eines Einatemtyps bin. Ist Ihnen meine Art der Stimmproduktion sympathisch oder verspüren Sie eher Widerstand? Wirkt es für Sie abgehoben? Dann sind Sie sicher der gegenteilige Typ, der Ausatemtyp.

An dieser Stelle, noch bevor wir zum Testen kommen, möchte ich die unterschiedlichen Haltungen und die Funktionsweise der Atemtypen bei der Phonation erklären:

3.1. EINATEMTYP

DIE HALTUNG

Dieser Typ steht primär rechtsbetont mit durchgedrückten Knien. Das Körpergewicht ruht auf der rechten Ferse bei leicht zurückgeneigtem Oberkörper. Der obere Beckenrand am Übergang zur Wirbelsäule wird etwas nach vorne gekippt. Der Übergang vom Kreuzbein zur unteren Lendenwirbelsäule bildet ein leichtes „Hohlkreuz“. Die Schulterblätter werden für die optimale Haltung etwas nach hinten gezogen. Der Hals ist leicht nach hinten gebogen mit leicht angehobenem Kopf.

5 

WÄHREND DER PHONATION

Es gibt zwei Ebenen, die immer wichtig sind und beachtet werden müssen:

» Wie erreiche ich den „Schwebezustand" meines Zwerchfells?
» Wie erreiche ich eine optimale Ausnützung der Resonanzräume?

Dies ist ein gefinkeltes Zusammenspiel, das geübt, geprobt und im Körper verankert werden muss.

Die Atemstütze und der Zwerchfelltiefstand entstehen beim Einatemtyp dadurch, dass man aktiv die Einatemstellung beibehält. Der Einatemtyp besteht ja, wie bereits auf Seite 10 erklärt, fast nur aus Erweiterungszonen. Durch die Anlehnung von innen in alle Richtungen und das ständige Weiten des Brustkorbs wird das Tiefhalten des Zwerchfells erreicht, was zur optimalen Kippstellung des Kehlkopfs führt.

Das dehnende Prinzip des Brustkorbes, das wir bei der Einatemphase erfahren, wird während des gesamten Phonationsvorgangs aufrechterhalten. Die körperliche Arbeit des Einatemtyps besteht darin, muskulär (Rückenmuskeln, Brustmuskeln, Bauchmuskeln) dem Zusammenfall des Brustkorbs entgegenzuwirken, permanent zu öffnen, zu ziehen und zu weiten.

Auch die Beine gehören zur Erweiterungszone. Die Muskulatur muss aktiv nach oben gezogen werden, als würden Sie eine bereits angezogenen Hose noch weiter nach oben ziehen. Die Füße und vor allem die Fußballen drücken/erweitern in den Boden.

Der Einatemtyp steht gern in Schrittstellung, ein Bein mehr belastend, bewegt sich gern und liebt das Schauspiel.Die einzigen beiden Zonen, die sich verengen dürfen, sind das Becken und das Gesicht.

DIE BEIDEN VERENGUNGSZONEN:

VERENGUNGSZONE 1: DAS BECKEN

Das Becken unterstützt jede Silbe aktiv, indem man das Gefühl hat, es würde ein dünner Faden im Beckenboden nach innen ziehen, der sich mit jeder Silbe erneuert. Es kann auch helfen, sich im Flankenbereich (bei den Nieren) zwei Fäuste vorzustellen, die Druck ausüben und somit eine Unterstützung bieten. Der Einatemtyp hängt sich bewusst in seine Verengungszonen und nützt sie, um dort Kraft fürs Weiten zu bekommen. Ich habe oft das Gefühl im Becken, als würde eine Windel fest um mich gewickelt sein, die mich verengt und mich nach oben zieht.

VERENGUNGSZONE 2: DAS GESICHT

Das Gesicht ist eine Verengungszone genauso wie die Hüfte. Kennen Sie Sängerinnen und Sänger, die mit nahezu geschlossenen Mund die schönsten und höchsten Töne singen?

Diese sind bestimmt Einatemtypen. Der Kiefer muss beim Einatemtyp nicht aktiv geöffnet werden, und wenn er aufgehen möchte, dann tendenziell nach oben, als würde der Unterkiefer in Position bleiben und der Oberkiefer gemeinsam mit dem Kopf den Kiefer öffnen.

Die Verengung im Gesicht findet auch durch den Zug von den mittleren Schneidezähnen über den harten Gaumen statt. Zusätzlich ziehen die Nasenlöcher aktiv Richtung Ohren, Richtung Keilbeinhöhlen. Das gesamte Gesicht zieht Richtung Hinterkopf, als würde eine Hand Ihr Gesicht flachdrücken, die Verengungszone Gesicht zieht in die Erweiterungszone Hinterkopf.

ERREICHEN DES OPTIMALEN STIMMKLANGS BEIM EINATEMTYP

Das Erreichen der Resonanzräume wird beim Einatemtyp aktiv im Kopf gesteuert. Der Ton wird in der Nase angesetzt und durch den Zug Richtung Gaumen in die Resonanzräume am Hinterkopf gezogen. Ich denke mir Elefantenohren bei den Keilbeinhöhlen (befinden sich im Inneren des Keilbeins, paarig angelegt auf der linken und rechten Seite des Schädels, siehe Grafik auf S. 16), oder das Gaumen-R, das den Ton weiter nach oben zieht.

Die Konzentration liegt auf den Vokalen, welche dieser Atemtyp aktiv ziehen und gestalten muss, um den optimalen Klang zu erzielen. Das Gefühl, in einen Apfel zu beißen, soll am Gaumen, in der Nase und in den Nasennebenhöhlen stets bestehen.

Zwischen den Wortphrasen muss der Einatemtyp durch ein im Kopf gefühltes Glissando die Töne von Vokal zu Vokal verbinden. Je nach Tonhöhe ändern sich der Zug und der Bereich, der im Hinterkopf angesteuert wird. Je höher man spricht oder singt, desto weiter oben findet dieser Zug statt. Ganz hohe Töne haben fast keine horizontale Spannung mehr, sie ziehen von der Stirn in die Kuppel bzw. vom Gaumen zur Schädeldecke.

Durch den feinen Zug im Kopf und das aktive Offenhalten des Brustkorbes wird ein optimaler Stimmbandschluss erzeugt. Der Einatemtyp singt und spricht quasi ohne Luft. Er wirkt durch das ständige Dehnen dem Ausatmen entgegen. Der Mund, gesteuert vom Oberkiefer, öffnet sich während des Vokals nach oben. Der Kopf wird über den Atlas (erster Halswirbel) nach hinten gekippt, der Unterkiefer bleibt auf Ausgangsebene und wird nicht oder nur wenig nach unten geöffnet. Diese Kieferöffnung führt zur optimalen Ansteuerung der Resonanzräume.

Der Mund bleibt generell viel geschlossener als beim Ausatemtyp.
Die Bereiche Augen, Nase, Stirn, Keilbein und oberer Hinterkopf sind ganz aktiv!

TUTORIAL 6
TEST 1:

Beim Test ist es gut, wenn Sie einen Zuhörer haben, der auf die Klangqualität achtet, denn diese wird sich eklatant unterscheiden. Bitte hören Sie auch, ob der Raum, wo Sie den Test machen, mitschwingt, mitresoniert, einen Widerhall gibt, denn das heißt, dass Sie selbst resonanzreicher sprechen.

Testen Sie in Einatemmanier:

Stellen Sie sich aufrecht hin, drücken Sie die Knie durch, holen Sie sich Kraft vom Vorderfuß, stellen sie sich quasi auf die Zehenspitzen, bringen Sie die Hüfte ein bisschen Richtung Hohlkreuz, richten Sie den Brustkorb auf, beginnen Sie mit dem Ton in der Nase, öffnen Sie den Kiefer nach oben, strecken Sie eine Hand mit Spannung Richtung Decke, als ob Sie die Decke vom Runterfallen retten müssen und sprechen Sie:

„kaaaaa" oder „rrrraaa" (Gaumen-R)

Das „a" zieht auf, das „k" ist am Gaumen gesprochen, nicht im Becken, der Brustkorb hebt sich während der Phonation Richtung Decke.

Führen Sie diese Übung ein paar Mal durch und achten Sie darauf, wie sich Ihre Stimme ändert: wird sie voller, erzeugt der Raum um Sie herum einen Widerhall oder beginnt sie zu brechen, hauchig und kraftlos zu werden?

3.2. AUSATEMTYP

DIE HALTUNG

Der Ausatemtyp steht linksbetont, das Körpergewicht ruht primär auf dem linken Vorderfuß. Der Oberkörper ist aufrecht und leicht nach vorn geneigt, der obere Beckenrand am Übergang zur Wirbelsäule ist etwas nach hinten gekippt. Der Übergang vom Kreuzbein zur unteren Lendenwirbelsäule rundet sich dabei. Die Schulterblätter hängen. Das Kinn ist leicht nach vorn geneigt, die Halswirbelsäule leicht nach vorn gebeugt und am Hinterkopf nach oben gezogen.

WÄHREND DER PHONATION

Der Ausatemtyp kann relativ verschwenderisch mit seinem Atem umgehen, die Stimme ist gut eingehüllt von Atemluft. Am Ende der Phrase soll die Atemluft verbraucht sein, sodass die letzte Silbe angesteuert und ein Impuls gesetzt werden kann, damit der Atem reflektorisch nachkommt. Die Atemluft muss aber sehr wohl dosiert sein, der Fokus muss darauf gelegt werden, lange Phrasen bis zum Schluss durchzuhalten. Die Stimme darf durch das Schießen der Konsonanten nicht „nach außen fallen", sie muss einen Gegenzug im Mundraum und Nacken erfahren. In der Fachsprache spricht man von **inhalare da voce** (italienisch für „die Stimme einatmen", ist eine subjektiv empfundene Beschreibung von extrem geringem Luftverbrauch beim Singen).

DIE BEIDEN ERWEITERUNGSZONEN:

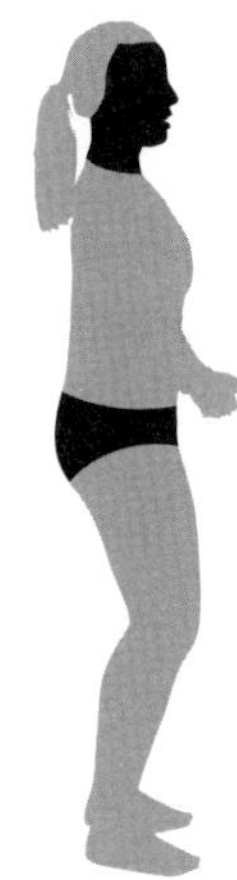

ERWEITERUNGSZONE 1: DIE HÜFTE

Durch die Anlehnung und das Weiten bei den Nieren und im Becken wird der Zwerchfelltiefstand erreicht, der zur optimalen Kippstellung des Kehlkopfs führt. Mit dem Ausatemtyp werden viele Atem- und Körperübungen gemacht, die diesen Bereich aktiv weiten. Durch die Anlehnung im Becken wird zusätzlich ermöglicht, dass der Kiefer locker fallen kann. Die beiden Erweiterungszonen des Ausatemtyps werden somit geöffnet.

ERWEITERUNGSZONE 2: DAS GESICHT, DER NACKEN, DER HALS

Der Kiefer muss beim Ausatemtyp so locker wie möglich hängen und beim Singen oder Sprechen so weit wie möglich geöffnet werden, da das Gesicht die zweite Erweiterungszone des Ausatemtyps ist. Der Kiefer sollte schon in der Vorbereitung offen sein. Er soll während der Phonation bei Konsonanten so weit wie möglich geöffnet bleiben, auf den Vokalen soll der Kiefer noch weiter geöffnet werden, wie bei einem Nussknacker. Zu der Erweiterungszone im Gesicht gehören auch die Augen, die Augenhöhlen. Auch diese soll der Ausatemtyp öffnen, so weit es möglich ist. Der Nacken und der Hals sollen während der Vorbereitung durch Gähnen oder aktives Staunen gedehnt werden. Diese Dehnung soll während der Phonation aufrecht erhalten oder noch erweitert werden. Manchmal spricht man auch davon, dass der Mundraum so offen gedacht werden soll, als hätte man eine heiße Kartoffel im Mund.

Zurück zur Phonation:

Der Ausatemtyp singt oder spricht am liebsten im ruhigen, konzentrierten Stehen, belastet beide Beine gleich und steht hüftbreit, mit lockeren, nicht durchgedrückten Knien. Der Körper ist leicht vorgeneigt, die Schulterblätter ruhen am Brustkorb, der Blick senkt sich leicht nach unten, als würde er den Hut ziehen. Die Haltung wirkt verinnerlicht, konzentriert.

Das verengende Prinzip des Brustkorbes, das wir bei der Ausatmungsphase erfahren, wird genützt und verlängert, um die Phrasen optimal auszunützen. Ein konkretes Ende wird gesetzt, um die inspiratorische Atmung anzuregen.

ERREICHEN DES OPTIMALEN STIMMKLANGS BEIM AUSATEMTYP

Der Ton wird im Becken angesetzt und durch das Abfedern der Konsonanten durch den Körper in die Resonanzräume katapultiert. Die Konzentration liegt im Bauch. Der Ausatemtyp ist so eine Art Bauchredner mit offenem, lockerem Kiefer. Je mehr er auf den Konsonanten wegspringt, desto freier kann der Kiefer sein und desto freier springt die Stimme automatisch in die richtigen Resonanzräume im Kopf.

Durch viel Aktivität im Bauch- und Beckenbereich und die automatisch komprimierende Bewegung des Brustkorbs wird ein optimaler Stimmbandschluss erzeugt. Der Ausatemtyp spricht und singt mit Luft. Er nützt das aktive Ausatmen, um die Phrasen in die Länge zu ziehen. Er muss das Dosieren des Atmens üben, damit lange Phrasen möglich sind. Der Absprung am Ende der Atemphrase wird trainiert und gezielt eingesetzt, um die nächste Phrase singen bzw. sprechen zu können. Es wird in keiner Sekunde aktiv eingeatmet, nur aktiv das Ende der Atemphrase gesetzt. Eine reflektorische Atmung wird trainiert und angesteuert.

Der Mund öffnet sich stark nach unten. Die Resonanzräume der Keilbeinhöhlen und des Hinterkopfs werden durch Loslassen des Kiefers, das fast wie Auskegeln des Kiefers aussieht, geöffnet.

Die Bereiche Mund, Kiefer, Rachen und hinterer Hals sind in der Vorbereitung ganz aktiv zu öffnen und während der Phonation locker offen zu lassen.

Der Stimmsitz befindet sich beim Ausatemtyp rund um die Zähne und entlang des Gaumens. Man trainiert alle Muskeln um die Vorderzähne. Die Lippen dürfen sich, um die Spannung im Sitz zu erhöhen, nach vorne strecken wie bei einem deutlichen „u" oder zu den Zähnen ziehen. Die Spannung im Oberkiefer, am Gaumen, soll trotz lockerem Kiefer und Weiten des Mundraums immer vorhanden sein.

Die Konzentration legt der Ausatemtyp auf die Konsonanten. Auf den Vokalen muss er lernen, nicht zu führen, nicht zu kontrollieren sondern loszulassen.

Die einzigen beiden Züge nach innen, die passieren dürfen, sind am Gaumen und im Beckenboden. Alles andere sollte losgelassen, die Energie nach unten geschickt werden, um sich zu erden und sich nach unten zu weiten.

TUTORIAL 7
TEST 2:

Testen Sie in Ausatemmanier:

Stellen Sie sich hüftbreit hin, lassen Sie Ihre Knie locker und durchlässig (nicht durchdrücken), holen Sie sich Kraft von den Fersen, bringen Sie die Hüfte ein bisschen in „Sitzposition", senken Sie den Kopf, öffnen Sie den Kiefer so weit wie möglich, bringen Sie sich in Aktion mit einem springenden Konsonanten gesprochen vom Bauch ... „t, t, t"

Sprechen Sie mit offenem Kiefer vom Bauch begonnen: „ta, ta, ta".

Während des Vokals sollte alles losgelassen werden, vor allem der Kiefer öffnet sich wie bei einem Nussknacker (hinten ganz lang) und Kraft schnellt zum Körper. Die Energie wächst in den Boden, als würde ein Dinosaurierschwanz aus dem Steißbein wachsen, als würde ein Ball in den Boden trippeln oder als würde man Wurzeln schlagen.

» TIPP: Diese Übung kann auch kombiniert mit folgender Körperübung gemacht werden: Bringen Sie Ihren Ellbogen zum gegenüberliegenden Knie.

Hören Sie genau hin, wie sich die Stimme verändert. Wird sie voller oder verliert sie durch das bauchbetonte Sprechen jeglichen Glanz und jegliche Resonanz?

Haben Sie einen Unterschied vernommen? Vermuten Sie schon eine Tendenz?

Wichtig ist es, bei solchen Übungen zu übertreiben, in Haltung, in Stimmgebung, in Kraft. Je besser Sie den Test atemtypbezogen durchführen, desto deutlicher wird das Ergebnis. Der Unterschied im Stimmklang wird so eklatant sein, dass kein Zweifel mehr bleibt, welcher Atemtyp Sie sind.

EXKURS: FRAGEZEICHEN

Falls Sie die Berechnung des Atemtyps online gemacht haben und Ihre Berechnung ein Fragezeichen auswirft, ist bei Ihnen das Verhältnis der Krafteinwirkung zwischen Sonne und Mond nicht weit voneinander entfernt.

Hier bitte ich Sie, die Tests besonders genau zu machen. Mir ist in meiner langjährigen Erfahrung nie untergekommen, dass jemand ein „Mischtyp“ ist. Es gibt immer eine Zuordnung. Die beiden Atemtypen benötigen für die optimale Stimmentfaltung so unterschiedliche Einstellungen, oft wirklich die gegenteilige. Horchen Sie auf Ihren Körper, machen Sie die Übungen beider Atemtypen und beobachten Sie, welcher Typ langfristig für Besserung sorgt.

4. ÜBUNGEN FÜR SPRECHERINNEN UND SPRECHER

4.1. SPRECHÜBUNGEN FÜR DEN EINATEMTYP

Mit dem Einatemtyp übt man vor allem,

1. dass die Resonanzräume offen/aktiviert sind

UND

2. dass die Muskeln im Brustbereich in der Einatemstellung bleiben, damit sie weiter dehnen, obwohl Ausatmung passiert.

4.1.1. TONLOSE ÜBUNGEN FÜR DEN EINATEMTYP

TONLOSE ÜBUNGEN FÜR DIE KÖRPERAUFRICHTUNG

Legen Sie Ihre Hand auf den Brustkorb und versuchen Sie, das Brustbein muskulär zu heben.

Spüren Sie, welche Muskeln Sie benötigen? Diese Bewegung sollte während der Phonation stattfinden, diese Haltung sollte die ganze Phrase über beibehalten werden.

Sie können sich vorstellen, dass ich nach einem Stimmseminar vom vielfachen Vorzeigen Rückenmuskelkater habe bzw. nach langem Singen, z. B. nach einem zweistündigen Operettenkonzert ebenfalls. Die „Stütze" des Einatemtyps lässt grüßen.

An dieser Stelle werde ich immer gefragt, wie man diese Muskeln am besten trainiert. Das geschieht durch „Training by doing": Bei jeder Phonation können Sie trainieren, sei es bei einem Telefongespräch, bei Ihren Vorträgen, beim Singen ... Das ist Hochleistungssport pur, das beste Training ist vor Ort.

Und natürlich hilft es, die Brustmuskulatur und die Rückenmuskulatur zu stärken.

» Nehmen Sie abwechselnd oder gleichzeitig in jede Hand eine Wasserflasche und heben Sie diese Richtung Decke.

» Legen Sie sich auf den Boden, strecken Sie die Hände mit der Wasserflasche Richtung Decke und/oder bringen Sie diese mit gestreckten Armen zur Seite zum Boden.

Beim Einatemtyp geht es immer ums Weiten, das Schließen passiert automatisch, genauso wie das Ausatmen.

» Schließen Sie die Beine, gehen Sie wie beim Ballett auf den Vorderfuß. Spüren Sie, welche Muskelgruppen Sie an der Innenseite der Beine benötigen? Dieses Ziehen sollte während der Phonation immer vorhanden sein, als würde man an der Innenseite der Beine ein Band hinaufziehen.

» Stellen Sie sich mit geschlossenen Beinen hin. Heben Sie ihre Hand wie eine Ballerina, mit der Handfläche nach innen, Blick zur Handfläche, und dann dehnen Sie vorsichtig in dieser Position nach hinten.

Sie werden sehen, wie frei ihr Nacken wird, wie sehr Ihnen Ihre Wirbelsäule dankt, endlich den oberen Bereich der Wirbelsäule aufrichten zu dürfen.

Dies sind nur ein paar Ideen von Körperübungen. Der eigenen Phantasie sind keine Grenzen gesetzt, wie man seine Wirbelsäule, seinen Brustkorb stets erweitert und dehnt.

Eine schöne Turnübung zum Aufwärmen ist auch die Tellerübung:

TUTORIAL 8

» Legen Sie einen Pappteller auf ihre Handfläche und bringen Sie den Teller in einem 8er über ihren Kopf wieder in diese Position. Langsam sieht das so aus: Die Handinnenfläche dreht sich zuerst Richtung Bauchnabel, dann nach Außen Richtung Ellbogen. Die Handfläche wandert nach oben, der Körper macht Platz, die Handfläche wird so gerade wie möglich ausgedreht über den Kopf geführt. Ist der Teller noch heil? Über dem Kopf drehen Sie die Hand wieder aus und bringen sie über Außen zur Originalposition zurück.

Machen Sie die Übung auch mit der anderen Hand und dann gleichzeitig mit beiden. Das bringt Ihren Oberkörper in Schwung. Diese Übung kann ich jedem empfehlen. Auch als Körperaufwärmübung für Kindergruppen oder für Chorsänger funktioniert sie gut.

So und jetzt geht's an die Stimmproduktion. Wie gesagt, das Erreichen der Resonanzräume ist das oberste Ziel, damit man eine durchschlagsfähige, kräftige, ausdauernde und vielseitig anwendbare Stimme bekommt.

TONLOSE ÜBUNGEN FÜR SITZ UND RESONANZRÄUME, AUCH MASKE GENANNT

» Ziehen Sie die Nasenflügel nach oben und stellen Sie sich vor, die Nase würde zum Gesicht wachsen.

- Schnarchen Sie oder sprechen Sie ein Gaumen-R, um das Gaumensegel zu aktivieren. Der Unterschied zwischen den beiden Gaumensegelbewegungen ist, dass beim Schnarchen der Luftstrom nach innen geht, beim Gaumen-R geht er nach außen.
- Öffnen Sie Ihren Mund nach oben, um die Resonanzräume am Hinterkopf zu dehnen, zu aktivieren (d.h. Kopf nach oben kippen, Unterkiefer bleibt).
- Bewegen Sie Ihre Kopfhaut, und ziehen Sie sie Richtung Hinterkopf.
- Bewegen Sie Ihre Stirn.

Beim Einatemtyp ist das Gesicht Verengungszone. Alle Bewegungen, alle Übungen, die in dieser Zone einen Zug nach Innen entstehen lassen, helfen, um diese Zone stumm zu trainieren!

4.1.2. ÜBUNGEN MIT TON FÜR DEN EINATEMTYP

Achtung! Üben Sie die Übungen bitte immer in atemtypgerechter Haltung.

Atmen Sie vor jeder Übung ein, am besten durch die Nase, damit die Resonanzräume schon bereit stehen!

Bitte beachten Sie stets die Grundregeln des Einatemtyps:

- Haltung einnehmen!
- Sitz spannen: Der Stimmsitz befindet sich über dem harten Gaumen. (Ein Gummi zieht innerlich von der Nase zum oberen Hinterkopf.)
- Öffnen des Brustkorbs mit jeder Phrase!

BRUSTKORB

TUTORIAL 9

Legen Sie bitte bei den folgenden Übungen Ihre Hand auf den Brustkorb, um genauer zu spüren, welche Bewegung Ihr Brustkorb macht. Der Brustkorb sollten sich mit jeder Silbe bzw. während der gesamten Dauer einer Phrase heben.

- „mmmmm": Mit dem Klinger „m" können Sie Ihren Brustkorb tönen lassen. Machen Sie das „m" unterschiedlich lang. Der Brustkorb und das Brustbein werden während der gesamten Dauer der Tongebung gehoben.
- „mmmnnnmmm": Die Bewegung wird wie oben beschrieben geübt.
- „you": Der Brustkorb hebt sich bei einer Silbe ein Mal.
- „mmmmrrrrmmmm" (Gaumen-R): Ihre Hand und Ihr Brustkorb werden während der Dauer der Phrase gehoben.
- „ha, ha": Bei jedem „ha", also bei beiden Silben, soll sich Ihr Brustkorb heben.

NASE/RESONANZ

TUTORIAL 10

- „ba, ba, ba", „da, da, da": Beginnen Sie mit zugehaltener Nase, Ihre Nasenflügel sollten sich stets heben. Die Nasenflügel drücken gegen die Finger.
- „rrrr": Das Gaumen-R hilft uns, wenn wir es gut rollen, die Resonanzräume in den Keilbeinhöhlen und dem oberen, hinteren Rachen zu öffnen.
- „hnga": Es sollte ein Zug, eine Muskelspannung von den vorderen Schneidezähnen über den harten Gaumen bis zum Hinterkopf spürbar sein (als würden Sie beim Sprechen gähnen).
- „ka", „ra": Das „k" wird wie das Gaumen-R verwendet, um die Resonanzräume im hinteren, oberen Rachenbereich und in den Keilbeinhöhlen anzusteuern. Öffnen Sie wie immer den Kiefer nach oben, wie ein Krokodil.
- „aus": Sie können das Wort auch gerne in unterschiedlichen Lautstärken ausprobieren.

KOMBINATIONEN ZUM ÜBEN DES ZUGS

TUTORIAL 11

Bitte denken Sie immer an die beiden Ebenen: An das Wachsen (Brustbein heben bzw. Rückenmuskeln) und an den Nasenzug.

Wenn Ihre Stimme resonanzreicher, also lauter wird, ohne anstrengend zu sein, sind Sie auf dem richtigen Weg!

- „ma": Pro Silbe soll sich das Brustbein heben bzw. sollen die Rückenmuskeln den Zug nach hinten machen. Der Kiefer öffnet sich vom Sitz nach oben. „Reißen" Sie nie Ihren Kiefer zu weit nach unten auf. Der Klang kurbelt stets nach oben an den Ohren vorbei in die Resonanzräume am Hinterkopf (wie beim Gaumen-R).
- „sa" (stimmhaftes „s"): Führen Sie diese Silbe wie oben durch. Wenn die Kombination zwischen Aufrichtung und Sitz gut funktioniert hat, kann man eine zweite Silbe anhängen, z. B. „Salbe".
  Bei der zweiten Silbe wiederholt sich der Vorgang mit Heben und Zug wie oben beschrieben.
- „ngie": Hängen Sie das „ng" vorne ein und ziehen Sie das „ie" nach oben auf. Wiederholen Sie dies bei „nie" und „noch". Das „ch" dehnt nach oben und soll auf keinen Fall weggeschossen werden.
- „Nase" („s" wird stimmhaft gesprochen).

Erweitern Sie allmählich die Übung auf mehrere Silben, z. B. „Mandarine". Achten Sie auf die Aufrichtung pro Silbe und den Zug am Vokal. Der Sitz soll stets beachtet werden.

TUTORIAL 12

Ebenso:

» „manama"
» „nödölögöni"
» „düwülabami"
» „laut" (laaaaaot): Versuchen Sie, wie schon oben erwähnt, die Wörter immer durch den „Sitz" zu ziehen, d. h. durch die Nase Richtung Hinterkopf. Ziehen Sie die Töne niemals nur durch Mund- oder Rachenräume.
» „Marmelade": Der Brustkorb steigt pro Silbe bzw. wächst konstant. Klinger werden verwendet, um in der Kopfresonanz zu bleiben. Die zweite Ebene (der Sitz) wächst wie immer von der Nase Richtung Hinterkopf.
» „Tandem": Beim „t" nehme ich einen kleinen Impuls beim Zwerchfellansatz der Einatemtyp wahr, welcher den Beginn der Wachstumsphase des Brustkorbs darstellt. Das „a" beginnt in der Nase und zieht nach hinten oben zur Kopfhaut durch. Außerdem hält man die Spannung von einem Vokal zum anderen „a" – „e". Halten Sie wie immer die Einatemstellung bis zum Schluss.

Meine Devise ist, dass ich sofort versuche, das richtige Gefühl in die Alltagssprache zu übertragen. Sprechen Sie die Silben der Übungen, versuchen Sie die richtige Haltung und den Stimmsitz einzunehmen und übertragen Sie es sogleich in Wörter mit ähnlichen Silben.

DIE ATEMDOSIERUNG

Die Atemdosierung erfolgt beim Einatemtyp automatisch, wenn er denn die richtige Haltung bewahrt, die Aufrichtung beibehält, sprich weiterwächst.

TUTORIAL 13

Üben Sie beim Lesen eines Textes oder mit Zungenbrechern, wie z. B.

„Acht alte Ameisen aßen am Abend Ananas".

Vergrößern Sie die Vokale, dehnen Sie sie, und achten Sie darauf, dass Sie keine Energie auf den Konsonanten verlieren. Atmen Sie am Ende der Phrase ruhig nach.

„Als wir noch in der Wiege lagen, gab's noch keine Liegewagen. Jetzt kann man in den Wagen liegen und sich in allen Lagen wiegen."

Atmen Sie ruhig ein, lesen Sie die beiden Sätze und halten Sie beim Punkt inne.

Sie müssen nicht mehr unbedingt einatmen. Wenn der Einatemtyp spannt und immer weiter wächst, braucht er fast keine Luft. Hängen Sie Ihre Stimme in den Sitz ein und ziehen Sie die Vokale von der Nase zum Hinterkopf.

Der Kiefer soll nach oben aufziehen, der Ton dreht um die Ohren nach oben in den Hinterkopf und alles ist perfekt!

„Ich wünsch Dir so viel gute Tage im Jahr, wie der Fuchs am Schwanz hat Haar."

Und jetzt die ultimative „Ausatmerübung" auch für den Einatemtyp:

„Fischers Fritze fischte frische Fische, frische Fische fischte Fischers Fritze."

Achten Sie darauf, dass Sie am „f" keine Luft verlieren und ziehen Sie von einem „i" zum anderen. Schon können Sie die gesamte Phrase, ohne dazwischen zu atmen, problemlos sprechen.

Suchen Sie sich weitere Zungenbrecher![6]

Üben Sie und haben Sie Spaß dabei! Übung macht den Meister!

6 

4.1.3. KÖRPERUNTERSTÜTZENDE BEWEGUNGEN BZW. HILFSBILDER FÜR DEN EINATEMTYP

Um die körperliche Aufrichtung zu unterstützen, können Sie zu den Wörtern Hilfsbilder und dehnende Bewegungen verwenden wie:

KÖRPERUNTERSTÜTZENDE BEWEGUNGEN FÜR DEN EINATEMTYP

» Ziehen Sie aktiv mit den Rückenmuskeln die Schulterblätter nach hinten.

» Legen Sie Ihre Hand auf Ihren Brustkorb. Diese soll während der Phonation durch den Brustkorb angehoben werden.

» Strecken Sie Ihre Arme gegen die Decke, Handfläche nach oben, oder imaginieren Sie dieses dehnende Bild.

» Ziehen Sie die Innenmuskulatur der Beine aktiv nach oben, als hätten Sie ein Gummiband, auf das Sie mit dem Vorderfuß draufsteigen und es nach oben ziehen.

» Bringen Sie Ihre Beine zueinander und gehen Sie auf Relevé (franz. „gehoben, erhöht", auf die halbe Spitze/Fußspitze erheben). Diese Kraft von unten dehnt sich durch Sie durch, bis sie beim Kopf wieder herauskommt.

HILFSBILDER FÜR DEN EINATEMTYP – KÖRPER

» Haben Sie das Gefühl, der Brustkorb wächst immer weiter nach oben.

- » Stellen Sie sich vor, Sie hätten an den Schulterblättern Flügel angenäht und diese wollen Sie über den hinteren Bereich des Brustkorbs heben.
- » Stellen Sie sich vor, unter Ihrem Schlüsselbein wären Scheinwerfer, die immer nach vorne strahlen und niemals (durch Zusammenfallen des Brustkorbs) den Boden erleuchten.
- » Vielleicht hilft auch die Vorstellung, dass die Bauchmuskeln bei jedem Vokal langsam angezogen werden, wodurch sich der Brustkorb hebt (diese Bewegung benötigt man vor allem beim Singen von hohen Tönen).
- » Denken Sie sich zwei Fäuste im Lendenwirbelbereich, die sanft gegen die Nieren drücken und Ihnen Kraft geben.
- » Oder denken Sie sich eine Faust zwischen den Schulterblättern, die nach vorne oben hebt.
- » Stellen Sie sich vor, Sie würden den Rücken im gesamten Brustkorbbereich an eine schützende Matratze anlehnen.
- » Stellen Sie sich vor, Sie wären eine Balletttänzerin, die voll Kraft von der Innenseite der Beine in die Dehnung nach oben geht.

HILFSBILDER FÜR DEN EINATEMTYP – RESONANZ

Stellen Sie sich vor,

- » Sie würden die Kopfhaut als Gegenzug zur Nase nach hinten oben wegziehen.
- » Sie würden während des Sprechens/Singens an einer Blume riechen.
- » Sie hätten einen roten Ball auf der Nase (wie so manche Clowns) und der Gummi zieht über die Ohren nach hinten.
- » Sie würden die Nase Richtung Gesicht ziehen, als würde sie Richtung Hinterkopf wachsen.

- » die Stimme/der Klang kurbelt sich mit kleinen und großen Bewegungen um die Ohren, als hätten Sie Elefantenohren.
- » der Klang kommt durch die Ohren heraus wie bei einer Comicfigur, die Dampf ablässt.
- » der Kiefer öffnet sich nach oben wie bei einem Krokodil, der Unterkiefer bleibt, der Oberkiefer öffnet sich mit einer großen Bewegung nach oben.
- » Sie wären eine Ballerina, die sich nach oben hinten dehnt. Die Tonentwicklung entsteht durch den vertikalen Zug vom Becken über das Brustbein und von der Brustwirbelsäule nach oben in den nach hinten gelegten Kopf.

» Sie würden alle Töne in sich inhalieren. Ziehen Sie den Ton mit viel Spannung von den Nasenlöchern nach innen, hinten, oben, als würden Sie die Töne trinken.

» Sie würden an einem Gummiband ziehen, um die Dehnung im Körper anzuregen.

4.1.4. ZUSAMMENFASSUNG EINATEMTYP

Wichtig ist, dass der Einatemtyp, egal ob beim Singen oder Sprechen, immer mit dem Sitz beginnt. Zwei Gummizüge/Spannungen verlaufen während der Phonation: einer zwischen Nase und Hinterkopf und ein zweiter vom Boden in den Himmel. Es kann sein, dass man noch eine Ebene spürt im Bereich des Zwerchfells, von der Wirbelsäule oder vom unteren Ende der Schulterblätter bis zum Brustkorbbeginn.

Beim Einatmer sehe ich im Vergleich zum Ausatmer eine Klammer an der Vorderseite des Körpers, einen Querzug von der Nase Richtung Hinterkopf, einen Längszug vom Schambeim zum Brustbein, und einen Querzug vom Lendenwirbelbereich zum Unterbauch. Ein weiterer Zug von der Wirbelsäule zum Brustbein ist vorhanden.

SCHWIERIGKEITEN DES EINATEMTYPS

sind

» die Haltung zu bewahren.

» die Luft bei sich zu behalten.

» trotz Sprache/Konsonanten immer im Sitz zu bleiben.

» die muskuläre Arbeit im Rücken- und Brustbereich zu leisten.

» das Glissando zwischen den Vokalen trotz Sprachverständlichkeit und Konsonantenaussprache zu behalten.

4.2. SPRECHÜBUNGEN FÜR DEN AUSATEMTYP

Mit dem Ausatemtyp übt man vor allem,

- dass sich der Flankenbereich stets beim Singen bzw. beim Sprechen mit jeder Silbe weitet.
- dass der Stimmsitz von den Zähnen bis zum Rachen erhalten bleibt.
- dass die Stimme durch die Zwerchfellimpulse nicht „herausfällt", sondern stets ein „inhalare da voce" stattfindet.

4.2.1. TONLOSE ÜBUNGEN FÜR DEN AUSATEMTYP

FLANKEN

Lassen Sie sich kopfüber hängen und atmen Sie bewusst durch die Nase. Spüren Sie nach: Wo nehmen Sie Atembewegungen Ihres Körpers wahr?

Es sollten sich vor allem die Flanken bewegen.

Versuchen Sie, von diesem Bereich aktiv wegzuatmen und dann die Luft automatisch kommen zu lassen.

Weitere Übungen für diesen Bereich sind:

- Im Langsitz sitzend nach vor lehnen und dehnen. Atmen Sie ruhig weiter. Konzentrieren Sie sich auf die Ausatmung. Können Sie mit bewusstem Ausatmen den Bereich um die Flanken erweitern und beim Einatmen dort bleiben? Lassen Sie den Kopf und Ihren Kiefer locker und atmen Sie weiter bewusst aus.
- Setzen Sie sich gegrätscht auf den Boden, Beine ausgestreckt mit lockeren Knien. Lehnen Sie sich so weit wie möglich nach vorn, je gedehnter Sie im Becken- und Flankenbereich sind, desto besser!
- Legen Sie sich auf den Bauch. Verschränken Sie die Handflächen und legen Sie Ihren Kopf darauf. Ihre Füße sollten aufgestellt sein. Nun pusten Sie so stark vom Bauch aus, bis Sie eine Bewegung in den Flanken spüren. Diese Bewegung sollte auch bei jedem Konsonanten spürbar sein.
- Eine etwas sportlichere Übung: Stellen Sie sich hüftbreit hin. Ziehen Sie mit Schwung das rechte Knie zum linken Ellbogen und blasen Sie gleichzeitig Luft aus. Während Sie die Richtung wechseln, lassen Sie die Luft automatisch einströmen.
- Ebenfalls möglich, um Ihr Becken gut aufzuwärmen, sind Kniebeugen. Vergessen Sie nicht, bei der Kraftanstrengung, beim Hinaufgehen, auszuatmen und beim Hinuntergehen automatisch die Luft vor allem in den Lendenbereich einströmen zu lassen.

Kiefer und Nacken sollen bei allen Übungen stets locker sein.

BECKEN

- Kreisen Sie Ihr Becken in jede Richtung und in verschiedenen Größen.
- Spannen Sie Ihren Beckenboden an und lassen Sie ihn wieder fallen.
- Führen Sie Ihr Becken aktiv in den nach hinten gekippten Zustand, als würden Sie sich hinsetzen. Halten Sie diese Position kurz und kommen Sie danach wieder ins normale Stehen zurück.
- Setzen Sie sich auf einen flachen, rutschigen Stuhl. Setzen Sie sich aufrecht hin, der Rücken sollte im Lendenwirbelbereich immer einen leichten Knick nach vorne haben. Nun wandern Sie auf dem Stuhl nach hinten, der Rücken wird runder, das Becken kippt. Wandern Sie wieder nach vorne in die Ausgangsposition.

ATEMDOSIERUNG

- Halten Sie eine Kerze ca. zehn Zentimeter vor Ihrem Mund. Atmen Sie gezielt aus. Die Atemluft soll so dosiert hergegeben werden, dass die Kerze nie ausgeht.
- Halten Sie sich einen Spiegel vor den Mund. Die Luft soll so langsam und dosiert ausgeatmet werden, dass der Spiegel nicht anläuft, nicht beschlägt.
- Stellen Sie sich vor, Sie ziehen mit dem Ausatmen einen Faden vom Beckenboden nach innen, das Becken kippt und die Flanken weiten sich parallel.

SITZ/RESONANZRÄUME

- Ziehen Sie die Luft zwischen den Schneidezähnen ein, als hätten Sie zwischen den vordersten eine Zahnlücke, und ziehen Sie die Luft weiter über den Gaumen nach hinten zum Gaumensegel.
- Gähnen Sie, um Ihren Gaumen und Rachenraum zu weiten. Versuchen Sie, diese Stellung auch ohne Einatmen einnehmen zu können.
- Öffnen Sie Ihren Mund nach unten wie ein Nussknacker, d. h. nicht nur öffnen, sondern bei den Ohren, beim Kiefergelenk bewusst lang machen.
- Bringen Sie Ihre Lippen zu Ihren Zähnen/über die Zähne, um die Muskeln um die Schneidezähne zu trainieren.
- Stülpen Sie Ihre Lippen nach außen zu einem großen Kussmund. Diese Übung können Sie mit der ersten Übung kombinieren, mit dem Lufteinziehen über die Schneidezähne.
- Machen Sie die Übung Zitrone – Löwe vom „Einsingen“. Die Beschreibung hierzu finden Sie auf Seite 14.
- Öffnen Sie Ihre Augen so weit wie möglich und kneifen Sie sie zusammen.

» Blasen Sie Ihren Mund auf wie ein Fisch, als würden Sie ein Didgeridoo spielen.

Ihr Gesicht ist Ihre Erweiterungszone. Alles was hilft, diese Zone zu vergrößern, macht Sinn! Bewegen Sie sämtliche Gesichtsmuskeln so oft es geht.

4.2.2. ÜBUNGEN MIT TON FÜR DEN AUSATEMTYP

Dem Ausatemtyp ist es vor der Phonation empfohlen, zwei- bis dreimal kurz auszupusten, damit eventuell überschüssige Luft wegkatapultiert und das Zwerchfell stimuliert wird.

ATEMDOSIERUNG

» Sprechen Sie ein langes „sssssssssssssssssssssssssssssss st", um die reflektorische Atmung zu trainieren. Das t wird deutlich gesagt, damit ihr Körper automatisch in die Einatmung gehen kann und sich so viel Luft holt, wie er benötigt. Versuchen Sie nie bewusst nachzuatmen.

» Sprechen Sie lange Phrasen mit sinkenden Kniebewegungen (bis in der Vorstellung das Knie am Ende der Phrase den Boden erreicht).

» Sprechen Sie und zerreißen Sie dabei ganz regelmäßig eine Zeitung, um die Länge der Atemphrase und die Gleichmäßigkeit des Atemstroms zu trainieren. Dosieren Sie die Zeitung so, dass Sie im letzten Moment das letzte Stück zerreißen. Dies sollte Ihr Atmungssystem anregen, die letzte Luft heraus zu katapultieren und wieder automatisch so viel Luft zu holen, wie Ihr Körper benötigt.

ZWERCHFELLIMPULSE

TUTORIAL 14

Übungen mit Konsonanten:

» „f, f": Formulieren Sie ein „f, f", um die natürliche Bewegung im Körper zu spüren. Merken Sie, wie Ihr ganzer Körper mithüpft? Beobachten Sie einmal einen Hund beim Bellen. Sehen Sie, wie viel Körperaktion, wie viel Komprimierung bei ihm in der Bauchgegend stattfindet? Nehmen Sie für jede Silbe das Bellen des Hundes als Vorbild.

Erinnern Sie sich bitte bei allen Übungen an die Standard-Haltung!

Hüftbreit stehen, Knie locker lassen, nicht durchstrecken, Becken ein bisschen nach hinten kippen, Wirbelsäule vom Steißbein bis zum Kopf lang machen und Blick nach unten richten!

Üben Sie „p", „k", „t", „s", „f", „pf", „sch" in allen rhythmischen Varianten,

z. B. „f-f s-s f-f s-s f-fffffffffffffffffffft".

Jeder Konsonant hat seinen Impuls im Bauch, bei dem langen „fffffffffffffffffffft" bekommen der erste und der letzte Konsonant einen Impuls, dazwischen wächst der Bauchnabel unter Spannung Richtung Wirbelsäule.

Dieses Prinzip wird bei jeder Konsonantenübung angewendet wie:

» „ptk ptk p"
» „s-s sch-sch s-s sch-sch sssssssssssssssssssst"
» Übung vom Einsingen: „p-p k-k s-s ft-ft" mit Bewegungen siehe S. 14.
» Trainieren Sie lockeres Lippenflattern in unterschiedlichen Längen.
» Kombinieren Sie die soeben geübten Konsonanten mit kurzen Vokalen,
z. B. „su", „so", „si",
z. B. „su si su si sssssssut".

Die Bauchbewegung sollte aufrecht bleiben. Hinzu kommt, dass der Kiefer nach dem Konsonanten frei fallen sollte. Sie können das Fallen auch unterstützen, indem Sie Ihren Kiefer mit dem Handrücken nach unten aufstreichen.

Genauso:

» „fu fi fo fu fi fo futt"
» „fu fi fu fi fu fi fu fi futt"
» „fu fi fo fu fi fo fu fi fo fu fi fo futt"

KOMBINATION ZWERCHFELLIMPULSE/ATEMDOSIERUNG

Ihre Atemluft sollte so dosiert sein, dass am Ende der Phrase die gesamte Luft verbraucht ist, das heißt, je länger die Phrase ist, desto weniger Atemluft darf man hergeben. Der Atem soll trotzdem fließen. Jede Silbe muss als Sprungbrett benutzt werden. Nützen Sie jeden Endkonsonanten zum Wegspringen, um reflektorisch einzuatmen. Beachten Sie, dass Sie nicht aktiv einatmen, auch wenn die Phrasen länger werden. Vertrauen Sie Ihrem Körper, er wird sich so viel Luft holen, wie er braucht, wenn Sie am Ende gezielt wegspringen.

Geben Sie auch der Bauchbewegung ihren Platz. Sollte sich das Becken automatisch weiter in Richtung Sitzposition kippen wollen, lassen Sie es zu und geben Sie beim reflektorischen Atmen dem Körper die Freiheit, sich wieder so zu richten, wie er es für bequem hält.

Nun kann man üben, die Bauchbewegung, das Silbenspringen auf andere Konsonant- und Vokalkombinationen und Wörter zu übertragen. Suchen Sie sich konsonantenreiche Wörter und versuchen Sie, jede Silbe vom Bauch weg zu sprechen, wie z. B.

TUTORIAL 15

„Papa", „Tasche", „Katze", „Spaghetti", „Tintenfisch", „Sonnenschein" usw.

Je mehr Silben und je schneller man spricht, desto weniger groß wird der Impuls.

Hecheln Sie dazwischen auf „ho" in verschiedenen Geschwindigkeiten und zum Schluss wirklich schnell. Merken Sie, wie ökonomisch der Bauch mit der Bewegung umgeht?

Unterstützen Sie die Sprechübungen mit körperlicher Aktivität. Haben Sie einen Sitzball? Setzen Sie sich und versuchen Sie jede Silbe, die Sie sprechen, in den Ball zu sagen, wenn der Schwung nach oben geht, machen Sie Pause und lassen Sie Ihren Kiefer locker fallen. Natürlich spricht man hier langsam, nicht alltagstauglich, aber Ihr Becken- und Ihr Flankenbereich werden flexibler, weiten sich und gewöhnen sich an ihre Arbeit. Genauso könnten Sie dies auf einem Trampolin oder mit Trippeln eines Balls üben.

Machen Sie die Übungen immer wieder mit vorhandenen „Hilfsgeräten". Merken Sie sich das Gefühl, verinnerlichen Sie es, damit es Ihr Körper speichern und bei Bedarf abrufen kann.

Jetzt müssen Sie das Silbenhüpfen noch auf Wörtern üben, in denen wenige Konsonanten vorhanden sind. Das Prinzip bleibt das gleiche. Jede Silbe muss „vom Bauch" gesprochen werden, auch wenn keine Konsonanten mehr da sind, die diese Bewegung erleichtern/unterstützen:

„Niemandsland": Hüpfen Sie das „n" vom Bauch, hängen Sie den Vokal an ... „Ni ni ni" – „niemand", „Niemandsland" (die „d" werden etwas härter gesprochen <nie-mants-lant>)

Üben Sie täglich in der Alltagssprache und nehmen Sie Kinderreime und Zungenbrecher zur Hand, wie z. B.

„Wir Wiener Waschweiber würden weiße Wäsche waschen, wenn wir wüssten, wo warmes Wasser wär."[7]

[7] 

Meine Empfehlung, um gleich die Atemdosierung mit zu üben: teilen Sie sich die Sätze ein. Überlegen Sie, wie weit Sie ziehen wollen und wo Sie atmen werden. Spannen Sie den Bogen bis dorthin, obwohl Sie die einzelnen Silben springen. Katapultieren Sie sich auf der letzten Silbe weg, und schon beginnt das System wieder neu, von vorne.

„Wir Wiener Waschweiber würden weiße Wäsche waschen“, abspringen, Atem kommen lassen, „wenn wir wüssten“ abspringen, Atem kommen lassen, „wo warmes Wasser wär.“

8

Oder:

„Zwischen zwei Zwetschgenbaumzweigen
sitzen zwei zwitschernde Schwalben.“[8]

„Fischers Fritze fischte frische Fische,
frische Fische fischte Fischers Fritze.“

Nun sind wir bei längeren Phrasen angekommen. Sie haben wahrscheinlich schon einen Bauchmuskelkater vom vielen Silbenspringen. Beobachten Sie bitte Ihren Bauch. Dieser sollte auch wieder in die Ruhestellung zurückgehen dürfen, sich wieder entspannen.

Also am Beispiel „Wir Wiener Waschweiber würden weiße Wäsche waschen,“ abspringen, Bauch locker lassen, Atem kommen lassen, und weiter geht's ...

Achten Sie immer auf folgende Punkte:

» Springen Sie auf jeder Silbe aktiv mit einer Bauchbewegung weg.
» Spüren Sie den durchgehenden Zug vom Bauch Richtung Wirbelsäule, der am Ende jeder Phrase wieder losgelassen wird.
» Spüren Sie den Zug vom Beckenboden Richtung Flanken. Auch dieser wird in jeder Abspann- bzw. Atempause losgelassen und erneuert.
» Spüren Sie stets einen Zug Richtung Boden.
» Lassen Sie nach jedem Konsonanten den Bauch wieder leicht los.

Lassen Sie in der Abspann- bzw. Atempause den Atem automatisch kommen.

Was ich bei Ausatemtypen immer wieder beobachte: Wenn Sie die Silben im Bauch schupfen, achten Sie bitte auf ihre Knie. Diese sollten stets locker sein bzw. sich mit jeder Silbe mehr beugen. Sie sollten auf keinen Fall in Richtung Streckung gehen. Entkoppeln Sie die Bewegungen im Bauch von denen im Knie bzw. in den Beinen.

KIEFER

TUTORIAL 16

» „tu ti to tu ti to tutt”
„tu ti tu ti tu ti tu ti tutt”
„tu ti to tu ti to tu ti to tu ti to tuuuutt”

Die Silben werden weiterhin so benutzt und geschupft wie oben erwähnt. Beim „t“ und „tt“ müssen Sie den Kiefer, ihre Zähne, nicht schließen. Die Zunge kann nach oben gehen, ohne dass man zusammenbeißt. Versuchen Sie es!

Sie können das Offenbleiben auch unterstützen, indem Sie zwei Finger hochgestellt zwischen Ihren vorderen Schneidezähne halten oder einen Korken zwischen die vorderen Zähne nehmen.

» „aeaeae“: Der Kiefer bleibt offen, die Zunge wird an den unteren Schneidezähnen „eingehängt“. Sprechen Sie „a-e“. Beim „e“ wandert die Zunge Richtung Schneidezähne.

  „aeaeaeaeaeaeae“: Werden Sie mit dieser Vokalverbindung schneller und achten Sie bitte auf jeden Fall darauf, dass Ihr Kiefer offen bleibt wie bei einem Nussknacker (von hinten gesteuert lang machen, nicht nur normal öffnen). Die Zunge macht die Arbeit des Formulierens, nicht Ihr Kiefer!

» „Anna“: Versuchen Sie, den Stimmeinsatz so sanft wie möglich zu machen. Setzen Sie zu Beginn der Übung noch ein „n“ davor – „Nanna“ – oder denken Sie sich ein kleines „h“, um die Stimmbänder sanft ohne Glottisschlag zu schließen.

Hier finden Sie ein paar Wortvorschläge, wobei Sie Ihren Kiefer so wenig wie möglich schließen sollten:

TUTORIAL 17

» „Tante“

» „Auge“
  (beide Silben mit dem Bauch sagen, obwohl keine Konsonanten mehr vorhanden sind)

» „Aug um Aug, Zahn um Zahn“

  Denken Sie „Au[k]“ (zwei Silben zum Springen) „um“ (m zum Springen) „Au[k], Zah-n“ (Doppelsprung z n und dann auslassen) „um“ (Sprung) „Zahn“ (Doppelsprung).

  Der Ausatemtyp beginnt jede Phonationsphase mit lockerem, offenem Kiefer!

  Sagen Sie „ha, ha“ vom Bauch mit offenem Kiefer. Das ist die Einstellung, mit der Sie immer beginnen sollten.

» „Alleluja“: Der Kiefer könnte die ganze Zeit über offen bleiben.

Eine kleine Wiederholung der Vorgänge:

» Kiefer öffnen in der Vorbereitung (zu Beginn: Zwerchfell durch Impulse „ff“, tonloses „hu, hu“ vorbereiten).
» auf jeder Silbe hüpfen.
» verschiedene Züge machen wie bei der Atemdosierung erwähnt.
» langen Bogen denken bis zur letzten Silbe und auf der letzten Silbe wegspringen.
» Bauch und Kiefer locker lassen.
» den Atem kommen lassen.

Alle Punkte können Sie zum Beispiel bei folgendem Text üben:

„Auf dem Rasen rasen Hasen, atmen rasselnd durch die Nasen. Rasselnd durch die Nasen rasselnd rasen Hasen auf dem Rasen."[10]

Jeder Beistrich ist eine Atempause. Teilen Sie sich die Phrasen so ein, dass Sie immer am Ende vor dem Beistrich weghüpfen, um locker zu lassen. Legen Sie die Finger auf die Wangen. Wie locker kann Ihr Kiefer sein? Wie weit können Sie ihn zwischendurch immer wieder fallen lassen? Kiefer und Konsonantenimpulse vom Bauch stehen in Wechselwirkung zueinander.

Werden Sie zum Bauchredner, dann kann Ihr Kiefer locker lassen!

SITZ/RESONANZ

Zu guter Letzt müssen wir uns um den Sitz, um die Resonanz kümmern.

Gähnen Sie genüsslich, um die Resonanzräume zu öffnen. Gähnen ist für Sie immer gut. Sprechen Sie einmal probeweise, als hätten Sie eine heiße Kartoffel im Mund. Merken Sie, wie sich der Gaumen spannt, der Resonanzraum im Mund größer wird?

Dann ziehen Sie Luft durch die Zähne, wie vorher in den tonlosen Übungen.

Diese Spannung im Gaumen inklusive der Gähnstellung sollte immer gehalten werden, in der Vorbereitung passieren, damit die Stimme durch das viele Schupfen vom Zwerchfell nicht herausfällt, sondern ein „inhalare da voce" (Inhalieren der Stimme) entsteht.

TUTORIAL 18

» „Tante"

„T" Bauchimpuls, „an" wird in den Mundraum inhaliert, in den weit geöffneten Kiefer mit Gaumenspannung, „t" springt wieder, „e" kommt wieder her.

Üben Sie einmal isoliert „haa", aber ein „haa", das keine Luft hinausgibt, sondern ein staunendes „a", das zu Ihrem Gaumen zieht, quasi wie Gähnen mit Ton. Es könnte auch die Vorstellung helfen, dass man sich hinten im Rachen anlehnt, dass ein Zug von den vorderen Schneidezähnen hin zum ersten Brustwirbel entsteht. Je weiter der Kiefer geöffnet ist, desto eher werden Sie diesen Zug verspüren.

Zum „a" kombinieren wir wieder das „t".

Isoliert angeschaut könnte man dies ein andauerndes **Konsonanten-Ping-Pong** nennen.

Stellen Sie sich vor, sie hätten eine Wand vor Ihrer Stirn. Die Konsonanten springen aus der Stirn zur Wand wie ein Gummiball, die Vokale kommen aber sofort wieder zu Ihnen zurück,

In der „Umkehrphase", wenn der Gummiball auftrifft und sich umdreht zum Zurückspringen, wird für den sanften Stimmbandschluss ein kleines „h" gedacht. Sie können sich als Übung mit Ihren Händen eine Wand machen. Halten Sie z. B. die rechte Hand flach vor Ihr Gesicht, die linke Hand ist die Wurfhand. Stoßen Sie beim „t" an die rechte Hand an. Die Hand schnellt aber sofort zurück Richtung Rachen, Richtung Resonanzräume.

Erklärung am Beispiel „ta":

Das „t" schupft vom Bauch/Zwerchfell nach oben in die Stirn und springt hinaus, das „h" prallt an der Wand zurück und im Umkehren kommt das „a" zum Mund und resoniert im Rachen.

Und jetzt geht's ans Üben. Verwenden Sie folgende Wörter und noch viele mehr:

„Tante, Tante Fanny, Talisman, Salz, Satz, Sitz, sitzen, Tinte, Tintenfass"

Bitte denken Sie an folgende Vorgänge während der Vorbereitung und während der Phonation:

In der Vorbereitung:

» Kiefer aufmachen
» ans Gähnen denken
» Spannung über den Zähnen vorbereiten
(zu Beginn: Zwerchfell durch Impulse wie „ff", „hu, hu" vorbereiten)

Während der Phonation:

» Bauchimpulse auf jeder Silbe
» Züge Richtung Flanken und Boden
» Konsonanten-Ping-Pong auf jeder Silbe
» langer Bogen bis zur letzten Silbe
» auf der letzten Silbe wegspringen
» Bauch locker lassen, Luft einströmen lassen, nicht aktiv einatmen

Leider muss man zu Beginn an viele Dinge gleichzeitig denken, aber keine Angst, Ihr Körper lernt schnell und bald geht alles automatisch und ökonomisch wie beim Rad- oder Autofahren.

TUTORIAL 19

11

Hier finden Sie ein paar Zungenbrecher zum Abschluss:

„Zehn zahme Ziegen zogen zehn Zentner Zucker zum Zoo"[11]

12 

„Schnecken erschrecken wenn Schnecken an Schnecken lecken, weil zum Schrecken vieler Schnecken Schnecken nicht schmecken."[12]

13 

„Zwanzig Zwerge zeigen Handstand, zehn im Wandschrank, zehn am Sandstrand."[13]

14 

Und wenn Sie eine nette Geschichte suchen, mit der Sie lesend üben können, möchte ich Ihnen Michael Endes „Zungenbrechergeschichte"[14] empfehlen.

Das Rezept „Kraft – Sitz – Raum" sorgt für eine freie, durchschlagskräftige, wohlige, ausdauernde Sprechstimme!

4.2.3. KÖRPERUNTERSTÜTZENDE BEWEGUNGEN BZW. HILFSBILDER FÜR DEN AUSATEMTYP

Dem Ausatemtyp ist es vor der Phonation zu empfehlen, zwei bis dreimal kurz auszupusten, damit eventuell überschüssige Luft wegkatapultiert und das Zwerchfell stimuliert wird.

KÖRPERUNTERSTÜTZENDE BEWEGUNGEN – HALTUNG/ZWERCHFELL/FLANKEN

» Sprechen Sie kopfüber mit hängendem Kopf und hängendem Kiefer. Dies fördert die Kraft im Becken und Lendenwirbelbereich.

» Sprechen Sie in Bauchlage. Heben Sie aktiv Ihren Nieren- und Flankenbereich.

» Sprechen Sie auf dem Trampolin oder auf dem Sitzball, um das Federn in den Boden und das Weiten des Beckens zu integrieren.

HILFSMITTEL/HILFSBILDER FÜR DEN AUSATEMTYP – HALTUNG, ZWERCHFELL, FLANKEN

Stellen Sie sich vor,

» um Ihre Hüfte herum ist ein Topf voll Honig, in den Sie sich genüsslich hineinsetzen.
» Ihre Töne kommen vom Mund durch ihren Körper aus Ihren Knien heraus und ziehen weiter in den Boden hinein (Sie stehen mit gebeugten Knien).
» jede einzelne Silbe wäre ein Blitz, der durch den Körper nach unten schießt.
» die Töne würden durch Ihre Beine hindurch in den Boden wachsen, als würden sie Wurzeln schlagen.
» an Ihrem Steißbein würde ein Dinosauerierschwanz in den Boden hineinwachsen.
» die gesprochenen Silben wären ein Basketball, diese springen in den Boden hinein, der Klang entsteht dabei selbstständig.
» Sie würden von einer Silbe zur nächsten springen, als wäre jede Silbe der Fisch Nemo, der von einer Qualle zur nächsten springt.
» Sie wären ein Gorilla mit ganz schweren Beinen und jede Silbe stampft mit einem Schritt in den Boden hinein.
» Sie würden Ihre Hüften weiten, als wären Sie im Wasser und wollten das Wasser um die Hüften mit Klang zum Schwingen bringen.
» Sie würden sich an Ihren Nieren anlehnen.
» Sie würden für jede Silbe Boxhaltung einnehmen.
» Sie würden jede Silbe in einer Tai-Chi-Bewegungen/Spannung sprechen.

HILFSMITTEL/HILFSBILDER FÜR DEN AUSATEMTYP – SITZ/KIEFER/RESONANZ

Der Kiefer fällt beim Sprechen des Vokals, die Kieferöffnung erfolgt wie bei einem Nussknacker.

Das Offenhalten des Kiefers kann mit einem Korkstoppel bzw. mit Fingern zwischen den Zähnen geübt werden.

Stellen Sie sich vor,

» Sie würden jeden Vokal zu sich sprechen, als hätten Sie ein Baby im Arm.
» an Ihrem Nacken würde aus Ihrer Wirbelsäule eine riesige Kieme eines Dinosauriers wachsen oder ein riesiger Kragen, wohin der Klang der Stimme inhaliert (inhalare da voce) bzw. erweitert wird.

» Sie würden Pfeile durch Ihre Vorderzähne schießen.

- Sie hätten Vampirzähne, die durch Ihren Kiefer nach oben wachsen.
- ein Stachel würde durch den harten Gaumen zur Kopfmitte stechen. Dieser Stachel gibt während der Phonation einen Zug zur Kopfmitte.
- Sie wären geschminkt wie ein Clown und die weiße Schminke wächst bei den Wangen in die Augen hinein.
- Sie würden Blitze durch die Augen nach außen senden.
- ein Faden würde aus dem 3. Auge nach außen wachsen.
- ein Griffbrett würde vom 3. Auge nach außen gehen.
  Je höher die gesprochene/gesungene Tonhöhe, desto weiter weg und desto höher greift man den Ton.

4.2.4. ZUSAMMENFASSUNG AUSATEMTYP

Wichtig ist, dass der Ausatemtyp immer mit der Vorbereitung beginnt: mit dem Vorstellen der Vokale, dem Vorbereiten der Resonanzräume und dem Auspusten, um die Bewegung des Zwerchfells anzuregen. Die Stimme beginnt im Bauch durch das aktive Sprechen der Konsonanten. Die Töne katapultiert man erstens energetisch in den Boden und zweitens Richtung Vorderzähne, drittes Auge, wo die Energie kurz nach außen geht, aber sofort wieder zurückinhaliert wird, um die Resonanzräume optimal auszunützen.

Beim Ausatemtyp sehe ich eine Klammer, einen Querzug von den Vorderzähnen Richtung Gaumen, einen Längszug entlang der Wirbelsäule und einen Querzug im Becken von vorne nach hinten.

SCHWIERIGKEITEN BEIM AUSATEMTYP

sind

- das Weiten im Nieren- und Beckenbereich zu spüren und zu bewahren.
- die notwendige Lockerheit und Öffnung des Kiefers zu erreichen.
- die inspiratorische Atmung anzuregen, indem man am Ende der Phrasen genug wegschwingt.
- das aktive Einatmen wegzulassen.
- den Sitz trotz Kieferöffnung zu behalten.
- die Stimme trotz intensiver Bauch- und Zwerchfellbewegung zu inhalieren.
- den Atem auf die verschiedenen Phrasen abzustimmen, gut einzuteilen.

5. WAS UND WIE ICH MIT SÄNGERINNEN UND SÄNGERN ÜBE

Verwenden Sie bitte als Ausgangsbasis für die Stimmübungen das Wissen, das ich im ersten Teil des Buches bei der Sprechtechnik erklärt habe. Auch als Sängerin und Sänger benötigt man eine gesunde Sprechstimme. Sie können die Übungen aus den Sprechkapiteln verwenden und in Gesangsübungen umbauen.

5.1. STIMMÜBUNGEN FÜR DEN EINATEMTYP

Der Einatemtyp sollte immer auf folgende Punkte achtgeben

» Sitz/Resonanz
» Haltung/Aufrichtung
» Vokale

In der Vorbereitung:

» guter Stand und Aufrichtung
» durchgedrückte Knie
» Zug zwischen Nase und Hinterkopf

Während der Phonation:

» Hängen Sie Ihre Stimme zwischen Nase und Hinterkopf ein.
» Heben Sie mit jeder Silbe den Brustkorb oder heben Sie ihn durchgehend.
» Die Rückenmuskeln ziehen während der Töne nach hinten.
» Kurbeln Sie Ihre Stimme über die Ohren in die Resonanzräume.
» Wachsen und dehnen Sie sich mit Zug vom Boden Richtung Himmel.
» Ziehen Sie innerhalb der Wörter von einem Vokal zum nächsten.
» Sprechen Sie Konsonanten so leicht, dass der Zug und das Wachsen auf den Vokalen nicht unterbrochen werden.
» Behalten Sie die Einatemstellung bei. Die Töne ziehen vom Brustkorb durch den Mund Richtung Resonanzräume.

Verwenden Sie bitte die Hilfsbilder und die unterstützenden Körperbewegungen, die ich im Sprechtechnikteil angeführt habe.

UOAEIEAOU – VOKALAUSGLEICH, ENTWICKLUNG DER OBERTÖNE

TUTORIAL 20
PLAYBACK 1

Achten Sie auf die Spannung zwischen Nase und Hinterkopf. Wie immer wächst der Körper während der Stimmproduktion nach oben. Je nach Stimmlage beginne ich diese Übung mit einem Sopran/Tenor beim h', c', mit tieferen Stimmen beim a', g'.

Je mehr Sie an das Kurbeln bei den Ohren, bei den Keilbeinhöhlen, denken, umso besser wird die Resonanz sein. Versuchen Sie, jeden Vokal klingen zu lassen. Beginnen Sie jeden Ton leise, kopfig und führen Sie ihn dann aktiv durch Ziehen und Wachsen in die Vollschwingung. Stellen Sie sich vor, Sie wären ein Obertonsänger und Sie möchten mit jedem Ton Ihrem Publikum so viele Frequenzen, so viele Obertöne wie möglich vorstellen.

Stellen Sie sich zusätzlich vor, an ihrem Hinterkopf wäre eine Zipfelmütze angewachsen und Sie würden während des Singens an dieser anziehen. Versuchen Sie die Haut am Hinterkopf zu heben. Dieser Zug sollte während des Singens durchgehend zu spüren sein.

- » Bei dieser Übung kann man mit einer Handbewegung mithelfen: Die Hand wächst von vor dem Brustkorb Richtung Himmel, wie schon in den Hilfsbildern für den Einatemtyp beschrieben. Strecken Sie sich immer genüsslich beim Singen, als würde ein Zelt langsam von innen aufgeblasen werden.
- » Variieren Sie die Übung mit einem gut rollenden, hellen Gaumen-R dazwischen, um zu spüren, dass der Ton bei den Ohren nach oben weiter wachsen kann, also:
  „ru ro ra re ri re ra ro ru“ oder nur jedes zweite Mal ein „r“:
  „ru o ra e ri e ra o ru“.

Spüren Sie, wie viel Spannung Sie als Einatemtyp zwischen Nase bzw. Nasenbein und Hinterkopf haben müssen, wie sehr Sie jeden Vokal bearbeiten und drehen müssen, sodass er schön resonanzreich wird?

So singt der Einatemtyp ...

VERBINDUNG BRUST- UND KOPFSTIMME

TUTORIAL 21
PLAYBACK 2

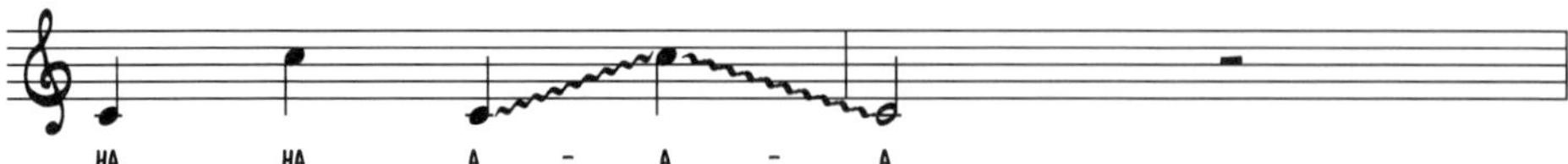

In dieser Übung verbinden wir die Bruststimme mit der Kopfstimme, um mehr Lautstärke und Klang in die Stimme zu bekommen. Diese Übung ist perfekt für sehr hauchige, kopfige Stimmen. Wenn jemand noch nie im Kopfregister gesungen hat, sondern immer nur in der Bruststimme, lernt er durch diese Übung, bewusst die Kopfresonanzen anzusteuern und in seine Mischstimme mitzunehmen.

» Achten Sie stets darauf, dass sich bei einzelnen Silben der Brustkorb nach oben dehnt.

» Versuchen Sie bei dieser Übung, zuerst den unteren Ton mit isolierter Bruststimme und den oberen Ton mit isolierter Kopfstimme anzusteuern. Sie werden den Bruch zwischen den Registern bewusst wahrnehmen.

» Machen Sie Ihren Kiefer innerlich nach oben hin auf oder öffnen Sie ihn ein bisschen nach oben, als würden Sie die Töne in sich „hineintrinken“ Machen Sie das Glissando dazwischen so sanft, dass Sie den Bruch nicht passieren lassen, sondern selbst steuern, wann Sie mehr Kopfstimme nehmen.

» Spielen Sie mit Ihrer Stimme und Ihrem Übergang. Je nachdem, ob Sie prinzipiell mehr Pop-Musik oder Klassik singen, können Sie bei dieser Übung Farben und Schattierungen in der Stimme üben. Je mehr Pop, desto natürlicher lässt man die beiden Register, je mehr Klassik, desto mehr Kopfregister nimmt man dazu. Wenn Sie das möchten, achten Sie auf die Einstellung, die Sie beim oberen Ton haben, diese verwenden Sie auch für den tiefen Ton.

» Um eine klassischere Tongebung zu bekommen, ziehen Sie den Kopf von der Wirbelsäule weg in die Länge und versuchen Sie, den Kiefer bei den Ohren nach oben hin zu öffnen, dies erschließt Ihnen Resonanzräume bei den Ohren und am Hinterkopf.

» Wenn der Platz im Kopf gespürt wurde, soll diese Übung auch auf „o“ und „u“ gemacht werden, damit man lernt, den Platz, der angesteuert wird, gleich zu lassen, auch wenn sich die Mund- und Zungenstellung durch Formung anderer Vokale ändert.

ZUNGENÜBUNG

TUTORIAL 22
PLAYBACK 3

- Achten Sie darauf, dass der Klang/das Drehen der Vokale bei den Ohren nie aufhört, auch wenn die Zunge flexibel zu den Schneidezähnen geführt wird.
- Wer Schwierigkeiten mit der Geschwindigkeit hat, konzentriert sich immer auf die erste Achtel der Triole. Vergessen Sie nicht, sich zu dehnen und zu wachsen bis zum Schluss, auch wenn die Phrase nach unten geht.
- Machen Sie diese Übung auch auf „to", „tu".

RESONANZRÄUME, STIMMUMFANG

TUTORIAL 23
PLAYBACK 4

PLAYBACK 4a

PLAYBACK 4b

1. Explodierendes „b": An das „b" soll kein Vokal angeschlossen werden. Dieser Konsonant hilft, die Resonanzräume innerlich aufzudehnen und „explodieren" zu lassen. Denken Sie sich, ihr Kopf wäre ein Luftballon, den Sie mit jedem „b" weiter aufblasen möchten. Das „b" soll immer wieder in der eingeatmeten Gähnstellung gemacht werden und bei den Ohren und am Hinterkopf „rausfliegen". Der Mund kann dabei fast geschlossen bleiben.
2. Gaumen-R: um den Weg der Vokale vorzugeben. Das Gaumen-R fördert die Erweiterung der Resonanzräume bei den Keilbeinhöhlen

und die Anlehnung am Hinterkopf. Der Vokal soll wie immer in die gleiche Richtung weiterdrehen und wird stets betreut und weiterentwickelt, nie fallen- oder losgelassen.

3. Das „r" wird weggelassen, das Legato-Singen und die Klangentwicklung werden auf „a" trainiert. Das drehende Gefühl und das Gefühl, die Ohren werden zu Elefantenohren, sollen stets verfolgt werden, ebenfalls der Zug zwischen Nase und Hinterkopf.
4. Das dehnende Gefühl des Körpers wird mit Erreichen höherer Abschnitte immer wichtiger.
5. Das bleibende Glissando soll trainiert werden, obwohl Verschlusskonsonanten vorhanden sind. Behalten Sie immer den Fokus auf die Drehrichtung der Vokale.
6. Der Einatemtyp konzentriert sich wie immer auf den Vokal, das „a" und versucht das „s" so klein zu machen, damit es verständlich ist, aber den Vokalfluss nicht stört. Mit jeder Silbe kann sich das Brustbein des Einatemtyps leicht heben, aber die Dehnungsphase darf durch das Abgeben der Luft auf „s" auf keinen Fall gestört werden.
7. Diese Übung ist auch möglich mit Wörtern wie „Sonnenschein", „Tannenbaum", „Tintenfisch" …
All das oben Erwähnte soll geübt werden.

Wie Sie sehen, liebe ich Stimmübungen auf „a", da man hier gezielt lernen und trainieren kann, die Stimme in keiner Sekunde breit klingen oder „herausfallen" zu lassen. Außerdem ist der Vokal am Hinterkopf sehr breit zu spüren. Er bietet den meisten Halt. Diesen kann man auf andere Vokale übertragen.

ERWEITERUNG DES STIMMUMFANGS

TUTORIAL 24
PLAYBACK 5

Je höher man singt, desto mehr muss sich der Einatemtyp in die Länge ziehen und sich aufdehnen.

Der Körper sollte stets so offen gehalten werden und weiterwachsen, dass er nicht einmal am Phrasenende zusammenfällt. Es wird kurz eingeatmet, um für die nächste Phrase bereit zu sein, es soll aber nicht immer wieder von vorne mit der Körperhaltung angefangen werden, denn der Einatemtyp gibt beim Singen wenig Luft ab. Wenn er in der Körperspannung bleibt, kann er quasi in der „aufgeblasenen" Einstellung bleiben. Dies setzt eine starke Rückenmuskulatur um die Schulterblätter, starke Muskeln im Lendenwirbelbereich, der die natürliche Krümmung der Wirbelsäule stabil hält, und starke Brustmuskeln voraus.

Zur Erinnerung: Fast Ihr ganzer Körper besteht aus Erweiterungszonen, die gedehnt werden möchten, außer die Verengungszone um die Hüfte. Hier dürfen vor allem die hohen Töne mit Zug durch den Beckenboden und Hilfsvorstellungen wie „Sitzhöcker zusammenziehen" oder „Pobacken zusammenkneifen" unterstützt werden. Bei ganz hohen Tönen helfe ich mir manchmal, indem ich in Schrittstellung gehe und mit dem rechten Vorderfuß kraftvoll in den Boden drücke, damit die Spannung um die Hüfte noch erhöht wird.

Gleichzeitig muss im Kopf gezogen und viel gearbeitet werden, je höher, desto mehr erhöht sich die Spannung um die Nase, um die Augen, um die Stirn. Die Anlehnung an den Hinterkopf wird immer stärker.

Denken Sie an Ihre Verengungszone des Gesichts, alles wird nach innen geholt (als hätte man sich an einer Glastür die Nase plattgedrückt) und ihre Erweiterungszonen, besonders um die Ohren und am Hinterkopf.

Das ist leider körperlich anstrengend, aber je mehr Spannung im Körper, desto weniger Stimme muss gegeben werden.

Achten Sie bitte darauf, dass Sie trotz des Ziehens in der Waage bleiben. Die Töne entstehen in Ihnen und bleiben in Ihnen. Sie verlassen Ihren Körper erst durch die Resonanzräume im Kopf.

Bei dieser Übung sind dem Texteinfallsreichtum keine Grenzen gesetzt. Es soll geübt werden, die Resonanzräume offen zu halten, vor allem durch ideale Körperspannung, egal in welcher Vokal- und Konsonantenkombination.

5.1.1. LITERATURVORSCHLÄGE FÜR DEN EINATEMTYP

Einatemtypen bevorzugen lange, gezogene Phrasen, viele Klinger, viele Vokale. Ein paar Stückvorschläge, um Ideen zu bekommen, welche Literatur für diesen Atemtyp gut passen könnte, finden Sie hier:

Einatmer:

Aus der Klassik:

» W. A. Mozart: „Laudate Dominum"

» W. A. Mozart: Die Zauberflöte:
„Dies Bildnis ist bezaubernd schön"
„In diesen heil'gen Hallen"
„Ach, ich fühls"

- F. Schubert: Winterreise: „Fremd bin ich eingezogen“, „Der Lindenbaum“
- G. Bizet: Carmen: „Habanera“, „Près des remparts“
- F. Lehar: Guiditta: „Meine Lippen, sie küssen so heiß“
- F. Lehar: Die lustige Witwe: „Vilja Lied“

Aus Musical/Film/Disney:

- C. Schönberg: Lès Miserables: „I dreamed a dream“
- D. Sheik: Frühlingserwachen: „Mama, who bore me“
- J. Goldsmith: Mulan: „Reflection“
- A. Ll. Webber: Jesus Christ Superstar: „I don't know how to love him“
- Des'ree: Romeo & Julia: „Kissing you“
- A. Menken: Aladdin: „A whole new world“
- S. Fain: The rescuers: „Someone's waiting for you“
- St. Schwartz: Wicked: „Defying Gravity“
- A. Ll. Webber: Cats: „Memory“

Aus Pop/Schlager:

- H. Fischer: „So fühlt sich Leben an“
- C. Aguilera: „Beautiful“, „Cruz“
- J. Groban: „You raise me up“
- L. Cohen: „Hallelujah“
- A. Gabalier: „Amoi seg' ma uns wieder“

Das heißt natürlich nicht, dass nur Einatemtypen diese Lieder singen können. Sie besitzen schöne Phrasen, wo der Einatemtyp gut ziehen kann. Der Ausatemtyp muss sich bei gebundenen Liedern selbst gute Impulse setzen, dann steht auch diesen Liedern/Arien nichts mehr im Wege, wenn sie sich in seinem Stimmfach befinden.

5.2. STIMMÜBUNGEN FÜR DEN AUSATEMTYP

Der Ausatemtyp sollte bei jeder Gesangsübung folgende Schwerpunkte im Auge behalten (vergleiche Anweisungen beim Sprechen):

- Zwerchfell/Atemdosierung
- Kiefer
- Sitz/Resonanz

Bei jeder Übung kann und sollte man Folgendes üben:

In der Vorbereitung:

- » Kiefer aufmachen
- » ans Gähnen denken
- » Spannung über den Zähnen vorbereiten
- » Zu Beginn: Zwerchfell durch Impulse („f, f“, „hu, hu“) vorbereiten

Während der Phonation:

- » Benützen Sie jede Silbe als Sprungbrett vom Bauch in die Resonanzräume.
- » Spannen Sie einen langen Bogen bis zur letzten Silbe vor dem Einatmen.
- » Denken Sie an die diversen Züge im Körper, die ich in der Sprechtechnik erklärt habe (Zug Richtung Flanken, Zug Richtung Boden).
- » Verwenden Sie das Konsonanten-Ping-Pong bei jeder Silbe.
- » Benützen Sie die letzte Silbe der Phrase, um wegzuspringen und die reflektorische Atmung anzuregen.
- » Lassen Sie Ihren Bauch zwischen den Impulsen immer wieder locker.
- » Lassen Sie die Luft passiv einströmen. Ihr Körper nimmt sich automatisch so viel Luft, wie er benötigt.

Verwenden Sie bitte die Hilfsbilder und die unterstützenden Körperbewegungen, die ich im Sprechtechnikteil angeführt habe.

ZWERCHFELLIMPULSE / KONSONANTEN-PING-PONG

TUTORIAL 25
PLAYBACK 6

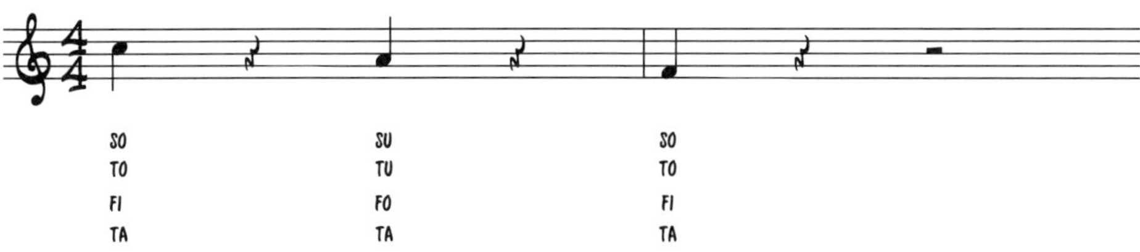

Ein starker Zwerchfellimpuls soll durch das stimmlose „s“ entstehen. Der Bauch soll sich Richtung Lendenwirbel bewegen. Um zu spüren, wie intensiv die Bewegung im Becken sein muss, kann man diese Übung auch kopfüber hängend ausführen.

Der Ton des Ausatemtyps beginnt stets mit einem locker nach unten hängenden Kiefer. Nach der Komprimierung auf den Silben ist es Aufgabe der Sängerin bzw. des Sängers, locker zu lassen, den Bauch genauso wie den Kiefer. Durch den Impuls des Zwerchfells und das lockere Öffnen des Kiefers wird der Klang automatisch in die entsprechenden Resonanzräume katapultiert.

Achten Sie beim nächsten Durchgang dieser Übung zusätzlich zu den Zwerchfellimpulsen auf das Konsonanten-Ping-Pong.

Das Konsonanten-Ping-Pong kurz wiederholt: Beginnen Sie jede gesungene Silbe durch einen Impuls im Bauch. Der Beginn der Silbe, der Konsonant, springt durch den vorbereiteten Stimmsitz durch die Vorderzähne und/oder das dritte Auge nach außen. Denken Sie sich zwischen dem Konsonanten und dem Vokal ein stummes h für den sanften Stimmbandschluss. Der Vokal nach dem Konsonanten kommt sofort zurück und dehnt durch Inhalieren des Vokals die Klangräume im Nacken.

- » Verwenden Sie andere Konsonantenkombinationen, wie z. B. „to“, „fu“, „ko“, „zi“.
- » Üben Sie zuerst auf „o“, „u“, und „i“. Beim „a“ ist die größte Gefahr, dass die Stimme „herausfällt“, deswegen wird dieser Vokal zu Beginn der Stimmbildung oft umgangen oder vermieden. Wenn Sie das Konsonanten-Ping-Pong gut im Griff haben, können Sie natürlich jede Konsonant-Vokalkombination in Angriff nehmen.

ATEMDOSIERUNG

TUTORIAL 26
PLAYBACK 7

Diese Übung sollte schnell hintereinander, immer einen Ton höher/tiefer gesungen werden.

- » Das „st“ am Ende soll bewusst gesetzt werden, um die reflektorische Atmung am Ende anzuregen.
- » Der Ausatemtyp darf nie aktiv einatmen. Er wirft sich förmlich auf die Konsonanten und schöpft durch sie jedes Mal wieder neue Energie. Die Hauptkonzentration liegt auf dem Bauchimpuls, der nicht stark genug sein kann, sowie dem Loslassen danach.

STIMMUMFANG SPIELERISCH ERWEITERN

TUTORIAL 27
PLAYBACK 8

Es wird trainiert, dass jeder Ton, je höher desto mehr, in das Becken, in die Nieren, in den Boden gesungen wird. Erweiterungszone ist wie immer der hintere Rücken.

» Der Ton eines Ausatemtyps beginnt, wie Sie ja bereits wissen, immer mit lockerem, geöffnetem Kiefer. Dies könnte man bei der dritten Übung mit den Konsonanten „k" üben. Nur die Zunge sagt das „k" am Gaumen, die Kieferöffnung bleibt stets bestehen.

» Diese Übungen könnte man wieder kopfüber hängend versuchen, der Kopf und der Kiefer hängen ganz locker, der Bereich in der Nierengegend soll sich bei jeder Silbe nach außen dehnen.

» Eine weitere Übemöglichkeit ist, sich in Bauchlage hinzulegen, der Kopf wird auf die Hände gelegt, die Hände unter die Stirn, der Kopf wird leicht eingezogen und somit die Halswirbelsäule gedehnt. Beim Singen wird auch hier wieder darauf Acht gegeben, dass beim Ton der Bauch nach innen hüpft, der Bereich um die Nieren sich stets bewegt und erweitert.

LÄNGERE PHRASEN: IMPULS / ATEMDOSIERUNG / SITZ

TUTORIAL 28
PLAYBACK 9 & 10

Wenn Sie die Impulse geübt haben, können Sie sich an längere Phrasen heranwagen. Hier sollte jeder Ton mit einem Impuls vom Bauch gesungen werden, auch wenn sich jeweils am zweiten Ton kein Konsonant befindet. Die Bewegung des Bauches sollte wie folgt bei jeder Zweier-Bindung zu spüren sein: Impuls – halten – Impuls – locker lassen.

Von Zweierbindungen wird auf Dreierbindungen erweitert.

Zuerst wird der Impuls pro Ton geübt, mit jeder Übungsstufe werden mehr Konsonanten weggelassen. Der Impuls pro Ton und das Schwingen im Zwerchfell bleiben erhalten. Der Konsonant wird gedacht. Jeder Ton wird auch ohne Konsonant mit einem Impuls angesungen und gleich darauf losgelassen, damit er in den Resonanzräumen locker klingen kann. Auch auf den Kiefer sollte immer wieder geachtet werden. Dieser sollte stets locker hängen, aus der geöffneten Vorbereitungsphase nur kurz für den Konsonanten geschlossen werden. Hat man mehr Vokale, wird der Ton vorne bei den oberen Schneidezähnen eingehängt und nach hinten in den Nacken gezogen, je länger der Ton, umso mehr …

LÄNGERE PHRASEN: IMPULS / ATEMDOSIERUNG / SITZ

TUTORIAL 29
PLAYBACK 11 & 12

Wichtig beim Ausatemtyp ist, immer wieder Übungen für das Zwerchfell einfließen zu lassen. Ausgehend vom schnellen Hecheln wird bei den folgenden Übungen die Flexibilität und die Schnelligkeit geübt:

Am Ende ist bei dieser Übung zum Abschwingen wieder ein Konsonant, der die reflektorische Atmung aktivieren soll. Der Fokus wird auf die Phrasenlänge, Atemdosierung, Ausatmung gelegt. Atmen Sie nie aktiv ein. Durch Lockerheit im Kiefer sollten die Resonanzräume an der Hinterseite des Kopfes stets geöffnet, der Übergang/der Bruch zwischen Kopf- und Brustregister dadurch fließend sein.

Um höhere Töne zu erreichen, benötigt dieser Atemtyp nicht nur Zwerchfellimpulse und Lockerheit im Kiefer. Er muss stets daran arbeiten, die Töne in den Boden zu singen, Wurzeln zu schlagen. Je höher, desto weiter denkt man eine Verbindung in den Boden.

Es helfen Bewegungen wie die Knie durchgehend nach vorne unten beugen, mit dem höchsten Ton in die Knie sinken, beim höchsten Ton Kegel schieben usw.

Als Gegenzug dazu benötigt der Ausatemtyp in der Höhe mehr Sitz, insbesondere schon in der Vorbereitung.

» Je mehr Sie Ihre Muskeln um die Vorderzähne benützen, um den Stimmsitz einzuhängen, desto mehr können Sie Ihre Resonanzräume im Rachen öffnen. Ziehen Sie immer wieder Ihre Lippen hoch, um die Muskeln am vorderen Gaumen zu trainieren. Stellen Sie sich vor, ihre Zähne würden zurück hineinwachsen. Sie benötigen für hohe Töne Halt vor und hinter Ihren Schneidezähnen, damit Sie entspannt Ihren Kiefer loslassen können.

» Was Sie in der Vorbereitung nicht gemacht haben, können Sie während des Singens nicht mehr oder nur schwer korrigieren. Das heißt, wenn die Phrase tief beginnt und Sie den hohen Ton erst später zu singen haben, müssen Sie die Phrase schon vorher vorbereiten. Stellen Sie sich das g'' vor. Wie viel Sitz, Raum und Kraft braucht dieser Ton?
Mit dieser Einstellung singen Sie voll Freude die gesamte Phrase.

Sie können alles immer bei Übungen üben, Sie können aber auch genauso im Sprechen oder am Stück üben. Fühlen Sie, spüren Sie, singen Sie ganz präsent und aktiv, dann werden Sie sehr bald Ihrem Instrument die schönsten Töne entlocken!

5.2.1. LITERATURVORSCHLÄGE FÜR DEN AUSATEMTYP

Der Ausatemtyp bevorzugt viel Text, wo er die Konsonanten als Sprungbretter/Impulse für den Atem- bzw. Zwechfellreflex verwenden kann. Kurze Phrasen, um das System der Atmung rasch erneuern zu können, sind für ihn ideal.

Hier finden Sie ein paar Stückvorschläge, um Ideen zu bekommen, was für diesen Atemtyp gut passen könnte:

Aus der Klassik:

» Altitalienische Arien wie: „Gia il sole dal gange“, „Sebben crudele“, „Stizzoso, mio stizzoso“, „Chi voul comprar la bella calandrina“

» W.A. Mozart:
Die Hochzeit des Figaro: „Non so più“, „Non più andrai“
Zauberflöte: „Der Vogelfänger bin ich ja“, „Der Hölle Rache kocht in meinem Herzen“

» F. Schubert: Die Müllerin: „Das Wandern“

» W. A. Mozart: „Der Zauberer“
» G. Rossini: Der Babier von Sevilla: „Una voce poco fa“

Musical/Film/Disney:

» C. Schönberg: Lès Miserables: „On my own“
» L. Bernstein: West Side Story: „I feel pretty“, „Maria“
» St. Schwarz: Wicked: „Popular“
» L. Bernstein: Das Phantom der Oper: „Think of me“
» Ch. Strouse: Annie: „Tomorrow“
» A. Menken: Arielle: „Part of your world“, „Under the sea“

Pop/Schlager:

» H. Fischer: „Atemlos“
» E. Sheeran: „I see fire“, „Perfect“
» C. Parks: „Something stupid“
» C. Emerald: „A night like this“
» Adele: „Skyfall“, „Someone like you“
» W. Houston: „I will always love you“

Das soll natürlich nicht heißen, dass der Einatemtyp diese Songs nicht singen kann. Ganz im Gegenteil. Sie werden nur zu Beginn der Stimmbildung bei diesen Songs als Ausatemtyp Vorteile haben, da die Songs meist kurze Silben haben, die man gut anspringen kann und viele Konsonanten, auf denen man sich so richtig austoben kann.

5.3. ÜBUNGEN DES GEGENTYPS RICHTIG AUSGEFÜHRT

Mein Prinzip ist es, dass jeder Atemtyp jede Übung machen können sollte. Natürlich gibt es Übungen, die den Atemtyp unterstützen, aber denken Sie an die Umsetzung in der Praxis. Wo hat man schon durchgehend Phrasen, die zum Atemtyp passen? Der Ausatemtyp muss sich oft mit vielen Vokalen herumschlagen, der Einatemtyp mit vielen Konsonanten. Hier sollte jeder Sänger, jede Sängerin das Wissen haben, wie man diese Phrase, diese Übung, singt, sodass sie trotzdem atemtypgerecht funktioniert.

5.3.1. EINATMERÜBUNGEN VOM AUSATEMTYP GEMACHT

TUTORIAL 30
PLAYBACK 1

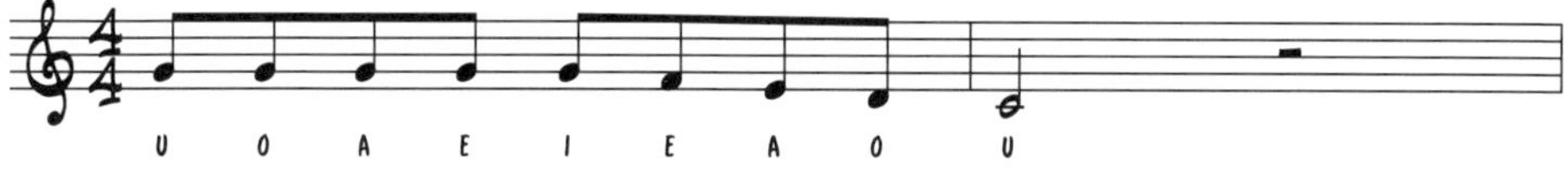

Diese Übung besteht nur aus Vokalen. Hier ist es verständlich, dass der Ausatemtyp für die einzelnen Silben nicht den optimalen Schwung bekommt.

Wie oben gelernt, muss jede Silbe einzeln geschupft werden, obwohl kein Konsonant vorhanden ist.

» Üben Sie die Übung zuerst mit „su, so, sa, se, si, se, sa, so, su".
Merken Sie sich die Impulse, vergessen Sie nicht die Vorbereitung der Resonanzräume und den Sitz und dann üben Sie diese Übung wieder ohne „s". Jede Silbe wird vom Bauch „geschupft".

» Der Mund kann bei der reinen Vokalübung geöffnet bleiben.
Die Anlehnung im Rachen wird trainiert, aber vor allem der Vokalausgleich! Machen Sie das „a" und „e" nicht zu breit, sondern innerlich im Mund. Sie werden sehen, wie schön die Resonanzräume bei dieser Übung aufgehen.

TUTORIAL 31
PLAYBACK 2

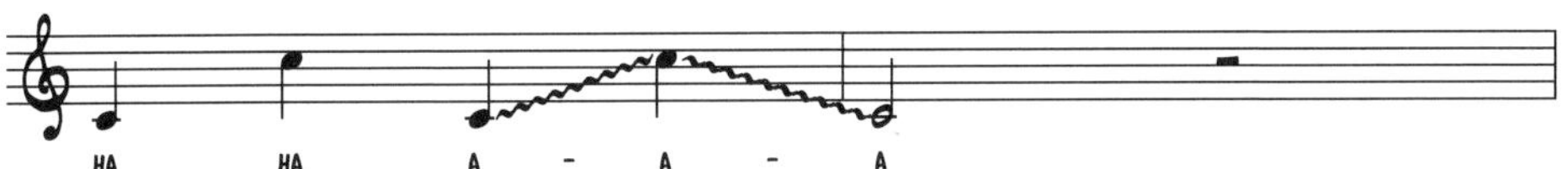

Diese Übung sollte eigentlich keine Schwierigkeit darstellen, denn es ist eine Übung, die bei beiden Atemtypen verwendet werden kann und gut dafür geeignet ist, die Brust- mit der Kopfstimme zu kombinieren.

Man kann die Register gemischt oder isoliert singen und durch das Glissando lernen, den Bruch zwischen Kopf- und Bruststimme zu kontrollieren.

Am „Ha" hüpfen Sie sowieso. Schießen Sie das hohe „a" mit Schwung vom Bauch in den Boden und schon ist der Ton in der Kopfstimme.

Je mehr Sie Ihren Sitz und Ihre Anlehnung im Rachen zu benützen wissen, desto voller werden die Töne klingen, natürlich immer vorausgesetzt, sie beginnen Ihre Töne im Bauch.

Noch ein Vorteil an dieser Übung ist, dass Sie sie, wie schon zuvor, mit offenem Kiefer beginnen können. Die einzige Gefahr ist hier, dass man das „a" mit Glottisschlag ansingt. Wie Sie schon wissen, können Sie das vermeiden, indem Sie die Stimme kontrolliert beginnen lassen, ein Konsonanten-Ping-Pong machen, nur eben ohne Konsonant.

Es kann sein, dass Sie die kopfige Einstellung besser finden, wenn Sie zuerst am obersten Ton mit „si, si" beginnen und dann die Übung ausführen, wie sie notiert ist. Versuchen Sie, in der Registerauswahl nicht zu viel umzustellen. Je mehr Sie die Einstellung von oben beibehalten, desto leichter werden Sie den Weg nach oben schaffen.

TUTORIAL 32
PLAYBACK 3

Eine Herausforderung für Ihre Bauchmuskeln. Jede Silbe sollte vom Bauch begonnen, also vom Bauch „geschupft“ werden, die erste der Triole immer stärker als die zweite und dritte. Spüren Sie die Anlehnung im Hinterkopf, im Rachen, damit Ihnen durch die Impulse die Stimme nicht „herausfällt“.

TUTORIAL 33
PLAYBACK 4

1. Das „b“ müsste auch Ihnen sympathisch sein. Bereiten Sie die Töne wie oben besprochen vor, machen Sie mit jedem Konsonanten die Bauchbewegung und explodieren Sie im Kopf innerlich. Dadurch werden Sie jeden Raum mit Ihrer Stimme füllen.

2.-5. „ra, ra, ra“ und „ra, a, a“
Diese Übung funktioniert nach dem gleichen Prinzip wie das „ha“ in der vorherigen Übung. Es wird wie immer trainiert, dass Sie dort, wo kein Konsonant am Silbenbeginn steht, die Impulse vom Bauch aus initiieren müssen. Beim „r“ ist das Gaumen-R gemeint. Dies öffnet die Resonanzräume im Rachen. Ebenso beim „nga“. Sie können aber als Ausatemtyp auch gerne das Zungen-R verwenden, dies wird Ihnen beim Sitz hinter den Schneidezähnen helfen. Um die reflektorische Atmung anzusteuern, wird es Ihnen helfen, wenn Sie bei dieser Übung ein „st“ zum Schluss anhängen, also z. B. „ra ra ra ra Rast“.

Bei dieser Übung können Sie die Atemdosierung üben. Machen Sie zuerst nur den ersten Teil der Übung, dann die ganze oder wiederholen Sie die Teile so oft Sie möchten.

TUTORIAL 34
PLAYBACK 5

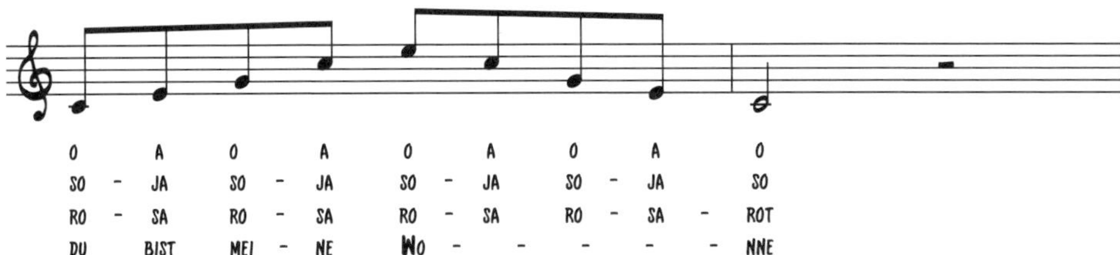

Beginnen Sie die Übung anstatt „So-ja“ mit „so-sa“. Fügen Sie am Ende ein „tt“ hinzu, die Silbe wird zu „s-att“, damit Sie Ihre reflektorische Atmung in Schwung bringen. Sie können auch „so-si“ wählen, je nachdem, ob Sie dazu neigen, dass die Stimme beim „a“ zu viel herausfällt.

Merken Sie sich das Gefühl. Hören Sie, ob Ihre Stimme gut klingt. Falls der oberste Ton „zwickt“, gehen Sie in die Knie. Helfen Sie sich mit den Hilfsbildern, die ich im Sprechtechnikteil beschrieben habe.

„Schupfen“ Sie, aber machen Sie bitte Ihren Kiefer gut auf!

Wenn Ihre Stimme beim „so, si“ oder „so, sa“ gut klingt, dann gehen Sie in die anderen Kombinationen über. Falls Ihre Stimme an Klang verliert, gehen Sie bitte wieder zurück zu „so, si“.

Die Königsdisziplin für Sie ist „o-a-o-a“.

Bereiten Sie wie immer Ihren Sitz vor, öffnen Sie die Resonanzräume, machen Sie die Bauchimpulse, öffnen Sie Ihren Kiefer. Denken Sie unbedingt auch daran, sich die Wirbelsäule als langgedehnt vorzustellen und die Energie nach unten in den Boden zu schießen. Achten Sie auf die Atemdosierung und nehmen Sie zum Schluss einen Konsonanten für den Absprungimpuls.

Achten Sie bitte darauf, dass Sie die Übung kopfig genug beginnen, damit nicht zu viel Bruststimmenanteil nach oben mitgenommen wird, sondern die Stimme locker und fein von unten nach oben geht.

Es könnte auch hilfreich sein, die Übung zuerst von oben zu beginnen, um die kopfige Einstellung kennenzulernen, die Sie auch bei den tiefen Tönen benötigen.

Verwenden Sie nicht zu viel Bruststimme. Das wäre, als würden Sie beim Autofahren mit dem dritten Gang starten. Holen Sie sich die Einstellung von der Kopfstimme, beginnen Sie mit einem lockeren „si, so“, z. B. auf einem c'' (bei Männerstimmen c') und singen Sie dann in der gleichen Einstellung das c' (bei Männerstimmen c).

5.3.2. AUSATMERÜBUNGEN VOM EINATEMTYP GEMACHT

TUTORIAL 35
PLAYBACK 6

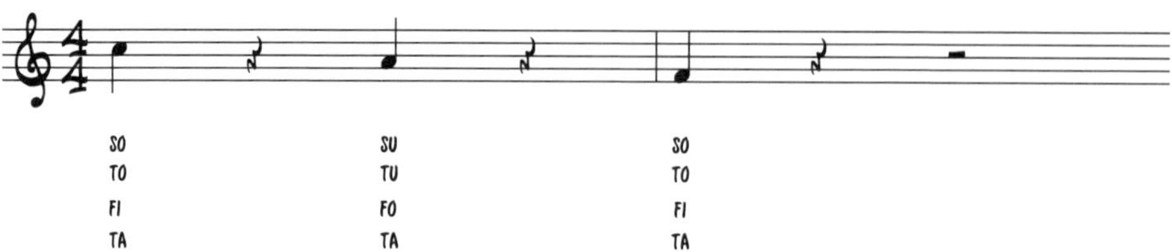

Eine Basisübung für jeden Ausatemtyp, für den Einatemtyp keine große Sache. Hängen Sie wie immer Ihre Stimme im Sitz ein, achten Sie auf Ihre Haltung und singen Sie diese drei Silben im Zug der drei Ebenen. Das „s“ machen Sie bitte nicht vom Bauch wie der Ausatemtyp, sondern einfach ohne Impuls mit den Zähnen.

Bei dieser Übung können Sie wieder gut üben, dass sich mit jeder Silbe der Brustkorb hebt. Sie können auch üben, „Pausen zu singen“. Geben Sie keinen Ton, aber bleiben Sie in Spannung und Dehnung, damit Sie nicht jeden Ton neu ansetzen müssen.

TUTORIAL 36
PLAYBACK 7

Im Prinzip ist das die gleiche Übung wie bei „uoaeieaou“, nur wird diese Übung beim „i“ begonnen, da diese Silbe dem Ausatemtyp meist leichter fällt. Denken Sie an die „uoaei“-Übung. Es geht um Resonanz, es geht um die drei Ebenen, den Gaumenzug, die dehnende Bewegung nach oben und die ziehende, verengende Bewegung im Becken.

Formulieren Sie das „s“ mit den Zähnen, ohne es vom Bauch zu schupfen. Sie können die Übung trainieren, indem Sie bei jeder Silbe den Brustkorb heben oder indem Sie den Brustkorb stetig durch Muskelzug zum Wachsen bringen.

Am Ende würde ich am „su“ aufhören bzw. das „st“ nur leicht sagen, dies benötigt der Einatemtyp nicht. Er schwingt am Ende nicht ab wie der Ausatemtyp, sondern hört ruhig auf, lässt kurz von dem Zug ab (im Normalfall entspannen sich hier die Bauchmuskeln und der Bauch), atmet wieder ein und beginnt von neuem zu singen.

TUTORIAL 37
PLAYBACK 8

Wie immer beginnt der Einatemtyp mit der Einatmung und mit der Anlehnung. Legen Sie den Kopf ein bisschen nach hinten und los geht's.

Achten Sie bitte bei Übungen, die von unten oder von der Mitte anfangen und dann hoch gehen, darauf, dass der Ton aus der Dehnung und aus dem Zug zwischen Nase und Hinterkopf entsteht.

Stellen Sie sich den Ton innerlich vor und singen Sie, wenn Sie den Platz innerlich spüren. Sie dürfen auf keinen Fall Töne (wie der Ausatemtyp) von unten nach oben schieben.

Der Einatemtyp hat für mich mehr waagrechten Zug, der Ausatemtyp mehr senkrechtes Schießen.

Ihr Resonanzballon im Kopf sollte aufgespannt sein. Dieser wächst in der Vorstellung weiter, je höher man singt. Ob Sie das „t“ am Ende sprechen oder nicht, ist für den Einatemtyp nicht relevant. Geben Sie einfach die Zungen zum Gaumen und sprechen Sie das „t“, unterstützen Sie aber den Konsonanten nicht mit einer Bewegung vom Körper oder vom Zwerchfell.

TUTORIAL 38
PLAYBACK 9

Eine Wegschwingübung, gemacht für den Ausatemtyp. Der Einatemtyp legt wieder seinen Fokus auf den Zug und lässt sich durch die scheinbaren Unterbrechungen der Konsonanten nicht stören.

Richten Sie sich auf, singen Sie im Kopf, ziehen Sie und werden Sie größer, je höher Sie singen. Lehnen Sie sich an, am Hinterkopf, an der Wirbelsäule, im Rücken. Die Schulterblätter dehnen nach hinten, greifen Sie nach den Sternen.

Wenn Sie nicht so gerne auf „i“ singen, verwenden Sie zuerst einen anderen Vokal und kombinieren Sie den gut funktionierenden mit denen, die sie vielleicht nicht so gerne haben. Bald werden Sie keinen Unterschied mehr merken und jeden Vokal lieben.

Sie könnten diese Übung auf „ra“ mit dem Gaumen-R singen und Sie werden sehen, wie einfach die Übung plötzlich wird, wie das „r“ den Zug unterstützt und die Resonanzräume öffnet. Wenn Sie die Übung auf „si“ singen, kurbeln Sie im Gedanken das „r“ weiter, um die Resonanzräume zu erreichen.

Die Übung wird auf Dreierbindung erweitert:

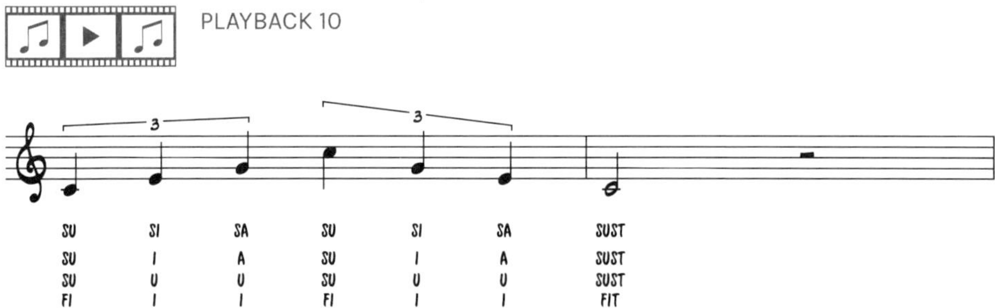

Bei dieser Übung gilt das gleiche Prinzip wie oben. Springen Sie niemals weg, ziehen Sie, dehnen Sie.

Je höher die Übung wird, desto mehr wird es nötig sein, die oberen Bauchmuskeln zu komprimieren, um den Brustkorb in Spannung zu bringen. Versuchen Sie, den Brustkorb zu heben, als würde eine Faust durch Ihr Zwerchfell von unten nach oben durch Sie hindurch greifen und das Zeltdach (Zwerchfell) heben.

TUTORIAL 39
PLAYBACK 11

Erinnern Sie sich noch an das hohe Hecheln? Jetzt heißt es, im oberen Bauchmuskelbereich am Beginn des Brustbeins zu hecheln und den Brustkorb wie immer hochzuziehen. Es sollte sogar sein, dass Sie das Hochkatapultieren vom Beckenboden durch sich hindurch spüren.

Denken Sie an das Kurbeln bei den Ohren, an die Elefantenohren. Denken Sie an den Zug im Gesicht, der von der Nase zum Hinterkopf führt.

Das „ho“ sollte gut gehen, „su“ würde ich dem Einatemtyp nicht empfehlen. Nehmen Sie Silben, die Sie im Zug unterstützen.

Wir erweitern die Übung:

PLAYBACK 12

Der Ausatemtyp trainiert damit Koloraturen, auch für den Einatemtyp ist die Übung zweckmäßig, aber doch nicht ganz einfach. Sie müssen gut in der Spannung sein, ziehen und wachsen. Ziehen Sie mit jeder Silbe den Brustkorb nach oben. Sie werden merken, diese Übung benötigt viele Bauch- und Beckenbodenmuskeln.

Hecheln Sie immer wieder dazwischen auf „hi“, um das Gefühl des schnellen Ziehens zu bekommen. Heben Sie muskulär den Brustkorb und beobachten Sie, wo die unterschiedlichen Töne hingehen. Stimmt das Zusammenspiel zwischen Sitz, Kraft und Zug, werden die Töne aus der Schädeldecke herauswachsen, als würde Ihr Körper vom Boden durch den Kopf hindurch Lava speien. Auch hier würde ich wieder empfehlen, das „ho“ zu machen, das „su“, wenn es Ihnen schwerfällt, eher zu lassen. Machen Sie stattdessen „h“ mit allen Vokalen, sprich „ha“, „he“, „hi“, „ho“, „hu“.

Fragen Sie sich, ob Sie das schnelle Ziehen brauchen oder ist es Ihnen lieber, die Übung durch eine große Ziehbewegung zu machen? Produzieren Sie die einzelnen Töne am Gaumen.

Machen Sie es so:

Einatmen, aufplustern wie eine Henne, anlehnen, ziehen wie eine Lava von unten und dann die Gaumenspannung und die Mundöffnung und die Anlehnung am Hinterkopf so ändern, dass selbst der höchste Ton im Kopf noch Platz hat. Alles zieht und dehnt, je höher man singt. Ein langer Zug geht durch den Körper, ein Querzug über den Gaumen zum Hinterkopf.

Gratulation! Die Königsdisziplin der Ausatmerwelt ist geschafft!

6. AUSSPRACHEREGELN AUS SICHT DER STIMMSCHONUNG UND DER ATEMTYPEN

Ich erwähne hier nicht alle Ausspracheregeln, sondern die, die mir stimmtechnisch zwecks Resonanzreichtum und Stimmschonung relevant erscheinen. Man muss natürlich immer abwägen, wie viel man von den Regeln anwendet. Je mehr, desto mehr erkennt man Ihre Ausbildung.

DIPHTHONGE = DOPPELLAUTE

» ei, ai, ey, ay
z. B. heim, Mai ➛ helles a gefolgt von unbetontem, geschlossenem e oder i

» eu, äu
z. B.: Leute, Mäuse ➛ offenes o gefolgt von unbetontem, geschlossenem e oder ö

» au
z. B. Haus, Auto ➛ helles a gefolgt von unbetontem, geschlossenem o

Je genauer Sie diese Regel anwenden, desto resonanzfähiger wird Ihre Stimme. Wenn man Mai [ei] sagt, schließt ein „ei“ die Resonanzräume mehr als ein „ae“ und möglicherweise ist auch eine Einfärbung eines Dialekts erkennbar. Dort wo ich herkomme (Mostviertel, Niederösterreich), gibt es z. B. viel „au“ und wenig „ao“. Stellt man um auf „ao“ wird die Stimme einerseits lauter sein, andererseits wird man merken, dass Sie im Stimmtraining waren.

Auf jeden Fall kann der Einatemtyp die Doppellaute nützen, um den Vokal schön aufzuziehen und klingen zu lassen. Öffnen Sie den Kiefer wie immer nach oben, um in die Resonanzräume zu kommen.

Der ausatembezogene Typ verwendet den Vokal, um an den Schneidezähnen über dem Gaumen den Sitz zu halten, die Resonanzräume im Nacken zu nutzen, den Kiefer locker zu lassen und die Energie in den Boden, in die Weitung der Flanken zu schicken.

KONSONANTEN

» stimmhaftes „s“
z. B. Sonne, Rose, Vase, singen
➛ stimmhaft am Wortanfang vor einem Vokal bzw. zwischen zwei Vokalen

» „w“
z. B. Wange, Wohnung, wollen, wissen
➛ immer stimmhaft

Eine wichtige Regel, um die Stimme von der Randstimme aus beginnen zu lassen.

Probieren Sie den Unterschied.
Sprechen Sie „Sonne" ohne stimmhaftes „s":

Beim Ausatemtyp wird am „o" ein leichter Glottisschlag entstehen, außer Sie haben das Konsonanten-Ping-Pong schon so gut geübt, dass das bei keiner Konsonanten-Vokal-Kombination mehr passiert.
Dem Einatemtyp wird es ähnlich ergehen. Außer Sie geben bereits keine Energie mehr auf den Konsonanten und dehnen sich von Beginn an so auf, wie ich bei den Grundlagen des Einatemtyps beschrieben habe.

Sprechen Sie „Sonne" mit stimmhaftem „s":
Sie werden merken, es gibt gar keine Chance, ihre Stimmbänder zu brutal zu schließen, da durch das „s" schon die Randstimme schwingt und man sanft in die Vollschwingung übergeht. Außerdem bekommt man durch das stimmhafte „s" als Ausatemtyp bereits von Anfang an die richtige Körperspannung im Unterbauch und als Einatemtyp sind die Resonanzräume im Kopf schon durch das stimmhafte „s" geöffnet. Deswegen liebe ich das stimmhafte „s" und „w", auch als Einsingübung, da man hier in der Regel von Natur aus alles richtig macht.

» **Das Zungen-R**
➜ immer vorne rollend, außer am Ende: Schwa-Laut (der ➜ d[ea])
z. B. Rose, Dornen, Herr, sprechen

Das Zungen-R hilft vor allem dem Ausatemtyp, da das Zungen-R an der Position ist, wo ihr Stimmsitz beginnt. Es bringt zusätzlich Lockerheit in der Zunge und es ist möglich, das Zungen-R mit halb offenem Kiefer zu machen, was dem Ausatemtyp für die Kieferöffnung und für das Erreichen der Resonanzräume hilft.

Auch für den Einatemtyp ist das Zungen-R von Vorteil, da es vorne im Stimmsitz beginnt. Einzig die Gefahr besteht, dass der Einatemtyp zu viel Luft durch das Erzeugen des Zungen-Rs verliert. Hier gilt es, umso mehr die Einatmerhaltung beizubehalten. Lassen Sie einfach Ihre Zunge flattern, ohne zu viel Luft nach außen abzugeben.

» **Das Gaumen-R**

In der klassischen Stimmbildung ist das Gaumen-R verpönt. Dieser Umstand lässt sich damit erklären, dass, wenn das Gaumen-R zu lasch am Gaumen oder zu tief im Rachen gesprochen wird, es den Übergang zwischen den Resonanzräumen der Mundhöhle und des Kopfes verschließen kann.

An der richtigen Position gesprochen ist das Gaumen-R sehr geeignet, die Resonanzräume am Hinterkopf zu erreichen und den Gegenzug am Hinterkopf spürbar zu machen, den besonders der Einatemtyp benötigt. Es kann sogar Sängerinnen und Sängern den Zugang zum höheren Singen ermöglichen.

Die Norm in der hochdeutschen Sprache ist das Zungen-R, da es für Sitz, Lockerheit und Deutlichkeit der Sprache sehr sinnvoll ist.

ENDUNGEN

» -b, -d, -g ➔ [-p], [-t], [-k] ➔
im Auslaut und wenn noch eine Nachsilbe folgt
z. B. Laub, Tag, Wand, freundlich, Freundschaft ➔
Lau[p], Ta[k], Wan[t], freun[t]lich, Freun[t]schaft

Eine absolut sinnvolle Regel für beide Atemtypen. Je größer der Saal, desto deutlicher werden Sie durch diesen Trick. Hören Sie selbst den Unterschied. Probieren Sie „und" mit weichem „d". Öffnet oder schließt es Ihre Stimme? Bringt es Körpereinsatz oder führt es eher zum Faulsein, zum Laschmachen? Ist es selbst in der letzten Reihe noch verständlich, resoniert der Saal?

Und jetzt probieren Sie „und" mit hartem „t". Merken Sie, dass ihr Körper aktiver ist, dass das „t" öffnet (natürlich mit der richtigen Atemtypeinstellung) und dass der Saal resoniert, fast ein Echo zurückkommt?

» -ig, -igt, -igst ➔ -[ich], -[icht], -[ichst]
➔ im Auslaut, außer bei zusammengesetzten Worten,
in denen später ein „ch" folgt
z. B. König, Honig, ewig, baldigst ➔ Kön[ich], Hon[ich], ew[ich],
bald[ichst] - aber: Königstochter, Königreich ➔ Kön[igs]tochter,
Kön[ig]reich

Eine umstrittene Regel, denn wenn man es richtig ausspricht, wissen Schulkinder oft nicht mehr, wie man es schreibt, wenn man ihnen einen Text diktiert.

Es gibt in jeder Sprache Phonationsregeln, im Deutschen schreibt man fast alles so, wie man es spricht, aber eben nur fast. Der Vorteil dieser Regel ist schlicht und einfach, dass ein „g" unsere Resonanzräume im Rachen verschließt, ein hell gesprochenes „ch" sie öffnet. Für den Ausatemtyp entsteht noch dazu der Vorteil, dass er am Ende wegspringen kann, um neue Energie zu fassen. Für den Einatemtyp hat das „ch" eine tolle Position, um die Resonanzräume um die Ohren zu spüren und sie aufzudrehen.

Singen Sie „heilig, heilig, heilig".

Merken Sie, wie jede Phrase am Ende schließt, dagegen „heili[ch], heili[ch], heili[ch]" leichter geht? Der Einatemtyp kann im Zug bleiben, der Ausatemtyp kann wegspringen.

Was will das Sängerherz mehr!

» Gleicher Aus- und Anlaut ➔ zusammengebunden
z. B. auf Flügeln, im Meer
Aber:
der Ritter: das erste „r" wird als Schwa-Laut gesagt,
das zweite „r" wird mit der Zunge gerollt, also [deaRitter]
das Seil: das erste „s" ist stimmlos, das zweite ist stimmhaft [dasSeil]

Für den Einatemtyp geht der Klang auf den Konsonanten weiter. Der Ausatemtyp muss keine Pause zwischen den beiden Konsonanten machen, er kann den Impuls am „s" vereinen und ist nach dem stimmhaften „s" nicht gefährdet, einen Glottisschlag zu machen. Was soll man dazu noch sagen? Eine absolut sinnvolle Regel, egal ob Sie singen oder sprechen.

7. SING- UND SPRECHSTILE IM VERGLEICH, ENSEMBLE- BZW. CHORSINGEN

7.1. MIT UND OHNE MIKROFON BEIM SINGEN UND SPRECHEN

» Pop – Klassikstimme

» verstärkte Stimme – unverstärkte Stimme

» Radiosprecher/Radiosprecherin – Schauspieler/Schauspielerin

Den Unterschied zwischen Pop- und Klassik-Gesang sehe ich darin, dass man die Resonanzräume unterschiedlich benützt bzw. ausnützt.

Der klassische Sänger, die klassische Sängerin wird auf resonanzreiches Singen trainiert, auf das gänzliche Ausnützen der Resonanzräume im Kopf. Das ist logisch, da die Resonanzräume die Tragfähigkeit in der Stimme bringen, damit sie selbst über das größte Orchester ohne Mikrofon schwebt und in der letzten Reihe des Saals noch gut hörbar ist.

Dieser Resonanzreichtum ist in der Popmusik, wenn man ein Mikrofon zur Verstärkung nimmt, teilweise fehl am Platz. Das Mikrofon würde übersteuern, die Stimme würde zu schrill klingen.

Die Klassikerin, der Klassiker inhaliert seine Stimme, um in die Resonanzräume zu kommen, ist „indirekter" was leider bei Übertreiben zu Unverständlichkeit führt.

Die Popsängerin, der Popsänger ist viel direkter unterwegs. Die Stimme darf aus dem Mund kommen, der Sitz darf weiter unten sein (bei den Zähnen und Lippen, unabhängig vom Atemtyp), um nicht zu viele Kopfresonanzen klingen zu lassen. Unterschiedliche Klangfarben werden oft mit dem Mundraum gemacht. Es wird bei der Popsängerin, beim Popsänger mehr Wert auf Brustresonanzen gelegt.

Der Musicalgesang ist in der Mitte angesiedelt. Die Tongebung ist meist schneidender, nasaler als im Popgesang, beide Gesangsstile nützen aber im Vergleich zum klassischen Gesangsstil weniger Resonanzräume im Hinterkopf und im Rachen.

Wenn ich Pop singe, benötige ich bei weitem nicht so viel Durchspannungskraft und Stütze im Körper wie beim klassischen Gesang, da die Lage, in der man singt, angepasst wird. Als Klassik-Sängerin bewegt man sich zumeist zwischen f' und h'', als Pop-Sängerin zwischen e und h', also im Durchschnitt eine Oktav tiefer, Spitzentöne ausgenommen.

Singen Pop-Sänger höher, gehen diese oft ins isolierte Falsett, Pop-Sängerinnen gehen sehr oft ins isolierte Kopfregister und singen dies sehr luftig und hauchig an.

Natürlich braucht man auch hierfür eine atemtypgerechte Einstellung und Körperspannung. Ideal wäre, hohe Töne auf beide Arten singen zu können, in der Mischung, sprich im Belt, und im isolierten Kopfregister.

Das Ziel der klassischen Stimmbildung ist es, die beiden Register so zu mischen, dass ein Mischregister entsteht und kein Bruch mehr merkbar ist. Eine Dominanz der Kopfstimme ist selbst bei tiefen Tönen noch feststellbar.

In meiner jahrelangen Arbeit mit Menschen, die professionell singen und sprechen, habe ich bemerkt, dass bei Popsängerinnen und Popsängern oder Mikrofonsprecherinnen und Mikrofonsprechern leider meist Folgendes verabsäumt wird:

beim Ausatemtyp:

» die explosiven Konsonanten einzufordern.

Natürlich, das kann man im Mikrofon nicht brauchen, was aber zu Lasten des Körpereinsatzes geht. Es folgen Einbußen im Klang und oft führt zu wenig Körpereinsatz zu Stimmproblemen.

Ein mikrofonsprechender Ausatemtyp sollte deshalb dringend trainieren, die Impulse im Bauch zu machen, ohne die Konsonanten so hart zu sprechen.

» den Stimmsitz zu lernen, zu machen.

Eine obertonreiche/resonanzreiche Stimme bringt so manchen Tontechniker zur Verzweiflung, da diese natürlich Kopplungen verursacht. Bedenken Sie, Stimmsitz bringt Ihrer Stimme Stimmgesundheit, mehr Höhe und eine abwechslungsreiche, farbenprächtige Stimme.

beim Einatemtyp:

» auf die Wichtigkeit der Nasen- und Nasennebenhöhlen hinzuweisen.

Denn in der Nähe würden die Stimmen zu nasal werden, würde das Mikro übersteuern. Um das zu vermeiden, sollte der Einatemtyp trainieren, die Stimme in der Nase zu führen, ohne dass man den nasalen Klang im Mikro hört.

Ja, ein Mikrofon hilft sehr gut bei Lautstärkeproblemen, aber leider unterstützt es selten bei Körperspannung oder sinnvoll stimmschonendem Umgang.

Hören Sie Pop-Sängerinnen und -Sängern, Radiosprecherinnen und -sprechern, Fernsehschauspielerinnen und -schauspielern zu. Wie viele sprechen/singen vom Hals, haben raue oder tiefe, farblose Stimmen, haben sichtbare „Kabel“ (wenn die Muskeln am Hals beim Singen oder Sprechen heraustreten) und riskieren dadurch zu guter Letzt Stimmbandknötchen vom falschen Stimmeinsatz, von der Überbeanspruchung.

» auf die Aufrichtung trotz Mikrofoneinsatz und Bühnenerhöhungen aufmerksam machen.

Oft stützt man das Mikrofon mit abgewinkelten Armen ab und nimmt sich somit wertvollen Aufrichtungsraum des Brustkorbs. Außerdem soll der Einatemtyp stets den Kopf heben, obwohl das Publikum weiter unten positioniert ist. Versuchen Sie, Ihre Einatmerhaltung zu ermöglichen, obwohl Sie das Mikrofon halten und obwohl Sie Ihren Blick auf das Publikum richten und somit den Kopf nicht so hoch halten können, wie das vielleicht Ihre Einatmerstimme gerne möchte.

Sie wissen bereits: die optimale, typgerechte Haltung und Aufrichtung bringt eine freie, gesunde Stimme.

7.2. SPRECHTECHNIKTRAINING/STIMMBILDUNG IN DER GRUPPE, STIMMBILDUNG IM CHOR

Natürlich können Ein- und Ausatemtypen gemeinsam im Stimmbildungsunterricht/in Stimmtrainingskursen/im Chor sein. Ich habe in meinem Gruppenunterricht und in den Sprechtrainingskursen natürlich immer Ein- und Ausatemtypen.

ABER:

Die Teilnehmerinnen und Teilnehmer werden sich sehr bald fragen, warum die einen den Bauch „schupfen" und die Energie in den Boden schicken sollten, die anderen sich strecken und Töne ziehen müssen, aber nicht schupfen sollten.

Ich erkläre stets genau, warum ich so gegensätzlich unterrichte. Ich finde es extrem wichtig, unabhängig von Niveau und Alter, den Sinn hinter Stimmübungen zu kennen und erklärt zu bekommen.

Meine Schülerinnen und Schüler wissen stets, wer welcher Atemtyp ist. In meinen Gesangsgruppen ist es meist halbe-halbe, obwohl die Auswahl, die Zuteilung der Schüler zufällig erfolgt.

Spannend ist es, wenn gegenteilige Atemtypen gemeinsam musizieren. Sehr schnell übernimmt man einfach vom anderen. Ich lehre meine Schülerinnen und Schüler von Anfang an, bewusst das Ihre zu machen, möglichst nichts vom anderen Atemtyp abzuschauen und auf ihre Singweise und auf ihren Körper zu vertrauen.

Genauso sollte man meiner Meinung nach in der chorischen Stimmbildung vorgehen. Wie schon im Kapitel „Übungen des Gegentyps richtig ausgeführt" gezeigt, kann jeder Atemtyp jede Übung machen. Eine atemtypgerechte Anleitung ist wichtig.

Jedes Chormitglied sollte wissen, was ihm zu einer freien Stimme verhilft. Die Grundregeln der Atemtypen sind schnell erklärt und für alle interessant, auch für den gegensätzlichen Atemtyp. Durch klare Anweisungen lernen Chorsängerinnen und Chorsänger schnell, was ihre eigene Stimme fördert, was sie selbst nicht brauchen, was der andere Atemtyp braucht. Sie fühlen, lernen, erfahren die Eigenheiten jedes Atemtyps. Sie wissen das für eine gesunde, freie Stimme einzusetzen, was ihre eigene Stimme benötigt, und wissen, wie man singt und was es bringt, es gleich bzw. anders zu machen als so manch anderer.

Sollte bei der Atemtypbestimmung mittels Berechnung ein Fragezeichentyp herauskommen, teste ich immer sehr genau. Ich habe noch nie erlebt, dass jemand nicht zuordenbar war, da die Atemtypen so unterschiedlich sind und zur Verbesserung der Sing- oder Sprechstimme, wie Sie bereits wissen, sehr unterschiedliche, ja meist gegenteilige Inputs benötigen.

7.3. EXKURS: SITZEND SINGEN

Bei Konzerten steht man, aber die Chorproben werden wegen Ressourcenschonung meist im Sitzen abgehalten.

Beim Sitzen muss Ihnen ganz klar sein, dass die Kraft, die uns die Beine geben, egal ob als Spannung in den Boden oder als Zug nach oben, wegfällt. Auch die Hüftstellung wird verändert.

In den Büchern zur „Terlusollogie“[14] finden Sie die Anweisungen, wie der jeweilige Atemtyp sitzen soll. Dies gilt für die Ruhestellung.

[14] Christian Hagena: Grundlagen der Terlusollogie S. 20 und S. 21.

Wenn man Kraft fürs Singen benötigt, gilt im Grunde das Gleiche wie im Stehen.

Der Einatemtyp sollte während der Tonproduktion im Sitzen an die Fäuste bei den Nieren denken, wie bei den Hilfsbildern der Einatemtypen erklärt. Sie geben Unterstützung, vor allem bei den hohen Tönen. Die Schulterblätter ziehen beim Einatemtyp wie immer nach hinten, der Brustkorb ist aufgerichtet und wächst nach oben, das Becken wird nach vorne gekippt.

Dieser Atemtyp sollte an der Sesselkante sitzen und die Knie so oft wie möglich durchstrecken. Die Noten sollten wegen der Kopfhaltung sehr hoch gehalten werden, die Ellbogen sollten gestreckt sein, mit nach innen gebeugten Handgelenken.

Leider wird einem dadurch oft der Blick zur Chorleiterin bzw. zum Chorleiter genommen.

Ist Ihnen schon einmal in einer Chorprobe aufgefallen, wie viele Chorsängerinnen und Chorsänger „die Noten zu hoch halten“. Das hat den einfachen Grund, dass für diesen Atemtyp das Hinunterschauen auf Noten unangenehm ist und die Stimmfunktion beeinträchtigt.

Der Ausatemtyp darf oder soll sich während der Tonproduktion im Sitzen im Lendenwirbelbereich anlehnen. Dieser Typ darf sich sogar ein bisschen nach vorn beugen, um die Weitung im Lendenwirbelbereich zu ermöglichen. Das Becken wird nach hinten gekippt. Der Bauch soll sich frei bewegen und „schupfen" können.

Achten Sie auf Ihre Kleidung. Gerade dieser Atemtyp sollte keine zu engen Kleidungsstücke um Bauch und Hüften tragen, wenn er denn gemütlich und gesund singen soll.

Die Noten sollten mit runden Ellbogen (als hätten Sie einen großen Medizinball in der Hand) und nach außen gestreckten Handgelenken gehalten werden. Dieser Typ wird stets die Noten tief halten und nach unten in die Noten schauen, da diese Kopfhaltung die Resonanzräume im Nacken öffnet.

Wie viele Chorleiterinnen und Chorleiter kämpfen darum, den Blick ihrer Chormitglieder bei sich zu haben. Das Hinaufstrecken des Kopfes wird diesem Atemtyp nicht sympathisch sein.

Wäre ein Ankauf von Notenständern hilfreich?

So viel zu meinem Exkurs in die Sprechausbildung, in die Stimmbildung. Werden Sie nicht müde zu spüren und zu forschen. Fragen Sie nach, wenn Sie etwas nicht verstehen!

Wissen ist Macht! Das Klangergebnis wird wunderschön werden, fördert man Ihren Atemtyp, Ihre Stimme typengerecht!

8. DANKSAGUNG

Ich sage Danke an alle, die mich unterstützt haben, dieses Buch zu schreiben und vor allem an alle, die es mir ermöglicht haben, mein Wissen zu erlangen.

Danke an meine Gesangslehrerinnen und Gesangslehrer und Universitätsprofessorinnen und Universitätsprofessoren für das Wissen, egal ob es für mich und meinen Körper falsch oder richtig war. Wäre immer alles passend gewesen, hätte ich nicht nachgeforscht, nicht so viel in Frage gestellt, wäre ich nie zu dem Menschen geworden, der ich heute bin.

Danke an meine Freunde, die immer ein offenes Ohr für mich haben und immer wieder meine Gedanken mit mir durchbesprechen und mich dadurch weiterbringen.

Danke an meine vielen Schülerinnen und Schüler, Seminarteilnehmerinnen und Seminarteilnehmer, die stets bereit sind für neue Wege und alle Facetten meiner Stimmbildung und meines Stimmtrainings so bereitwillig mitmachen.

Danke an alle, die an der Realisierung dieses Buches mitgeholfen haben, die Korrektur gelesen haben, die mir Kontakte vermittelt haben, um weiter zu kommen.

Danke an den Verlag Doblinger für die Unterstützung, allen voran meiner Lektorin Claudia Böckle, die mir stets mit Rat und Tat zur Verfügung gestanden ist und die sich um so vieles gekümmert hat.

Danke, dass Ihr gemeinsam mit mir dieses Baby zur Welt gebracht habt!

9. QUELLENVERWEIS

Alavi Kia, Romeo und Schulze-Schindler, Renate: Sonne, Mond und Stimme. Atemtypen in der Stimmentfaltung, Aurum Verlag, Bielefeld, 7. Auflage, 2007.

Balser-Eberle, Vera: Sprechtechnisches Übungsbuch, ÖBV Wien, 28. Auflage, 2004.

Der kleine Hey: Die Kunst des Sprechens, Schott, Mainz, 51. Auflage, 2004.

Hagena, Christian: Grundlagen der Terlusollogie. Praktische Anwendung eines bipolaren Konstitutionsmodells, 3. Auflage, Haug Verlag, Stuttgart/Saarbrücken, 2009.

Seidler-Winkler, Brigitta: Im Atemholen sind zweierlei Gnaden. Terlusollogie und Stimme, Pfau-Verlag, Saarbrücken, 2004.

https://www.heilpaedagogik-info.de/zungenbrecher/287-zungenbrecher-deutsch-sprueche.html, Stand 11.01.2020.

https://leicht-deutsch-lernen.com/zungenbrecher-wenn-schnecken-an-schnecken-lecken, Stand 11.01.2020.

https://www.sprichwoerter.net/zungenbrecher/deutsche-zungenbrecher
Stand 11.01.2020.

http://sprueche.woxikon.de/zungenbrecher, Stand 11.01.2020.

http://www.terlusollogie.ch/terlusollogie/unterseite22/, Stand 11.01.2020.

https://terlusollogie.de/ Stand 11.01.2020.

https://www.volksliederarchiv.de/alte-kinderreime/wir-wiener-waschweiber-wuerden-weisse-waesche-waschen, Stand 11.01.2020.

https://de.wikipedia.org/wiki/Zwerchfell, Stand 11.01.2020.